46 明代
西元1368～1643年 〔注音本〕

全新 吳姐姐講歷史故事

吳涵碧◎著

目錄

【第966篇】

焦山與焦先。

唐伯虎優優閒閒的暢遊鎮江，把一切煩惱都拋擲一邊。尤其是許多三國故事都發生在鎮江，他一面欣賞山川景色，一面隨感吟詩，好不快樂。走在鎮江的大街小巷，唐伯虎發現到處都寫著『鰣魚上市』，不由得嚥了口水。鰣魚是鎮江的名產，因爲定時於每年四月初，從海洋洄游長江產卵而得名。

鰣魚全身銀光閃爍，漂亮極了，吃鰣魚要吃鱗片下的油。唐伯虎是老饕，一向嘴饞，他用筷子夾起一片鱗，慢慢咀嚼、吸吮，再把鱗片吐掉，細細品嘗獨特的鮮美。

然後，他再把魚的顴骨拿來咬，咬得是齒頰留芳。

這時，店小二跑來對唐伯虎說：『嗯，相公懂得吃，許多外地來的客人把鱗片、骨頭都給丟棄了，眞是可惜，這是香骨啊，旁處吃不到的。』

唐伯虎得意道：『我不但知道香骨，還知道一根香骨四兩酒，可見香骨何等味美。』

店小二笑笑道：『那麼，相公可知道鰣魚是如何入京保持鮮嫩嗎？』

唐伯虎眉毛一挑，十分有興趣道：『說來聽聽。』

『我來說給客官聽。』店小二很得意說著鰣魚的故事。

『鰣魚這種魚，十分特殊，鎮江上游的鰣魚，肉質粗硬，口感乾澀，唯有鎮江這帶，鰣魚味最美，鰣魚又稱之爲箭魚，牠肚皮下面細骨如小箭，味道最美之處在鱗與魚肉交接處，因此不去鱗，不懂的客人還怪我們沒把鱗片刮乾淨哩。

『鰣魚有個特質，一出魚網就斷了氣，沒法飼養，因此，這樣貢品入京師可累著了，從鎮江到北京的話，就得準備三千匹馬，日夜兼送，否則，鮮味盡失。

『假如皇帝要在不產鰣魚時想吃鰣魚，那就更累了，漁民在地下三尺挖一個地窟，建有一個天然冰房，這個冰房是在冬季嚴寒之時，把冰塊搗碎，以粗鹽攪拌，結成龐大的冰山，把冰山搬到冰房內，同時冰房外面用

四、五層棉布製成厚簾擋住，使冰房外面的熱氣透不進來，冰房內保持低溫，這才得以保持鰣魚的時鮮。』

唐伯虎搖搖頭道：『為了供應皇家食用的鰣魚，鎮江漁民也夠辛苦的，想想看，要維持一個冰房，天寒地凍，忙著搬運冰塊就讓人好生不忍。』

店小二嘆了一口氣：『大快朵頤的皇帝，哪兒想到這一些，不過，皇帝吃的鰣魚再鮮，也沒有相公你吃的這一尾新鮮啊。』

『說的也是。』唐伯虎把最後一塊魚鱗含在嘴中吮吸，的確，就算是皇帝，除非親自跑到鎮江，否則怎樣也吃不到剛剛撈起來的鮮嫩鰣魚啊。

如此想來，此時此刻的自己，可比皇帝還要享福啊。

第二天，唐伯虎遊焦山，焦山孤立在長江之中，和金山相隔十餘里，兩島遙遙相對，焦山比金山略略高一些，巉巖峭壁，老樹蔥鬱，風景優美，山巔稱之爲焦山嶺，嶺上有一『吸江亭』，站在亭中央，向下四望，覺得天高水闊，宇宙是多麼偉大。

第二天，唐伯虎再遊焦山，遇到了一位仙風道骨的和尚，言語不俗，兩人談得十分投機。

和尚對唐伯虎說：『相公可知道，焦山何以命名爲焦山？』

『不知道。』

和尚抿嘴一笑：『焦山又名樵山，又叫浮玉山，焦山是因爲後漢隱士焦先隱居在此而得名。』

『哦，原來如此。』

唐伯虎感慨道：『焦先我是知道的，他是東漢末年的隱士，避揚州之亂而隱居。這人怪得很，吃些草、喝些水，極有風骨，走路必走大道，不走捷徑；極重禮節，見到婦女一定躲避。他自己造了一間小草屋，以木爲床，把草蓋在上面，天寒之時，生火取暖，也不與人多言，自稱爲草茅之人，與狐兔同群。後來，太守董經找他出來做官，他不肯，有一年冬天大雪，焦先直挺挺躺在那兒，人們搬他不動，以爲他死了，他其實並沒有死，一直活到八十九歲才過世。』

和尚驚訝道：『你知道這麼多？』

唐伯虎道：『《三國志》中有記載，有時，我也愛慕這些高士，也想隱居啊。』

於是，唐伯虎在和尚指點之下，瞻仰了當年焦先結草之地，和尚指著石頭道：『這是焦先砌灶所用。』

唐伯虎摸一摸石頭，心中有無限感觸。

閱讀心得

【第967篇】

唐伯虎徜徉黃山美景。

離開鎮江之後，唐伯虎過江到揚州，再赴蕪湖、九江，登廬山，再入福建，重入安徽，探訪他這一趟千里壯遊最重要的一站——黃山。

黃山爲中國一大奇山，許多中國畫家自黃山獲得了美感的啓示，黃山的靈秀脫俗是全世界任何山所沒有的，晚唐伯虎一百年的明朝徐霞客曾說：『五嶽歸來不看山，黃山歸來不看嶽。』的確，看過黃山，其他任何名山也都不必看了。

中國人一向認爲，黃山是中國的驕傲，黃山之美兼有泰山的雄偉、華山的險峭、衡山的煙雲、廬山的飛瀑、峨眉山的清秀，並以奇松、怪石、雲海、溫泉四絕聞名於世。

唐伯虎找了一位嚮導帶路，嚮導看了一眼唐伯虎弱不禁風的文人模樣，冷冷的說：『登黃山之路有前山、後山兩條路，通常，體質比較弱的人都從後山上去，免得心臟受不了。』

『笑話，我當然從前山上去。』唐伯虎一拍胸脯道。

『好，不過，我先奉勸相公一句話，我們登黃山有一個規矩，凡是遊客掉下去可是不救的，因爲救也救不了。』嚮導再加了一句恐嚇。

唐伯虎笑道：『我現在最需要刺激。』

於是，唐伯虎自前山上山，首先吸引唐伯虎的就是滿山青翠、石峰秀麗。唐伯虎與中國藝術家都有相同的愛石嗜好，賞玩石頭的人講究石頭要瘦、皺、漏、秀，一顆漂亮的小石頭就可以讓唐伯虎興奮半天，唐伯虎看到這許多有尖有方，或起或伏，其間更穿插奇松的姿態之美，沒有任何兩棵是相同的，簡直是宏偉壯觀極了。

唐伯虎覺得自己似乎回到了孩提時代，他興奮得大叫：『你看，這石頭像不像一隻松鼠在跳躍？』

嚮導說：『這石有個名，叫「松鼠跳天都」，小松鼠也想跳天都峰啊。』天都峰傳說是天上的都會，爲黃山三大峰中最險峭的山峰，高聳入雲。

唐伯虎登不上去，他仰望天都峰的石階，彷彿天梯，直達到神仙之地。忽然之間，一陣雲海湧來，其他峻峭險奇的危岩奇峰全不見了，只剩下蓮花峰、鍊丹峰與天都峰依然挺立，潔白如雪的美麗雲景，前擁後擠，往來腰峰之間，隨風鼓盪，腰峰之上蔚藍滿天，腰峰之下萬色千光，唐伯虎整個人爲之陶醉。

唐伯虎走在雲裏，一向瀟灑率性的他大呼：『我多麼想成爲一片雲。』雲是這麼優閒、自在、飄逸、神祕，不受一點拘束，黃山的雲不是一朵朵的，而是如海浪，一波又一波、一重又一重，一層雲海一層山，山外雲海海外山，如此出塵、秀麗，惹人遐思。

嚮導見唐伯虎好像醉了，他得意的說：『人家說咱的黃山不叫黃山，該叫黃海，因爲黃山自古雲成海。』

唐伯虎說：『我現在才眞正明白，唐朝詩人王維所謂：「行到水窮處，坐看雲起時」的境界。』

一會兒，雲散了，唐伯虎這才仔細觀察黃山的松樹，黃山的松眞是奇特，全是自石縫中蹦躍而出，無峰不石，無石不松，無松不奇，而且萬山皆松，松滿千壑。

唐伯虎大呼道：『這松好可愛，似乎在打躬作揖，歡迎在下登黃山。』

『沒錯，這棵青翠又好客的松樹，我們稱之爲迎客松。』

唐伯虎發現黃山的松，千奇百怪，或屈伸，或俯仰，或盤掛，充滿了不屈不撓的生命力。唐伯虎忽然興起，他對嚮導說：『我愛上松樹的蒼翠美麗，我要帶一點回去盆栽。』

『沒用的。』嚮導搖搖頭：『你把黃山松帶回家，沒過兩天，它就長得笨笨的、呆呆的，與你家一般的松沒兩樣。』

『爲什麼？』唐伯虎好生失望。

『因爲松樹長在咱們黃山，黃山又有暴風，又有溼氣，又有雷電，又有大風雪，松樹爲了抵抗惡劣的環境，不服輸，它才展現堅毅的性格，松樹搬到了你家，風調雨順，也就平淡無奇了。』

唐伯虎望著滿山松樹，它所透露的強韌生命力，他終於了解『松柏後凋於歲寒』，他的家破人亡、考場失利、妻子惡言相向，也許也在折磨他這一棵松樹吧，想到這兒，唐伯虎挺起了腰桿兒。

由於黃山險峻陡峭，俗稱『山中一夕雨，到處掛飛泉』。飛泉的淙淙流水聲，爲黃山增添了音響之美。黃山溫泉，又名湯泉，又稱靈泉，嚮導告訴唐伯虎：『據說，黃帝服浮丘公的仙丹之後，全身皮膚打皺，後來浮丘公建議黃帝到湯泉浸七天，果然老皮一去，順利換膚。』

唐伯虎一向愛漂亮，舒舒服服洗了一個溫泉澡，他發現黃山泉沒有硫磺臭味，有一股細膩的芬芳之香。浴罷，嚮導推薦道：『黃山之泉，可浴可飲，能治病，能長壽，能釀酒，能沏茶，不愧爲天下名泉。』

唐伯虎徜徉於黃山的怪石、奇松、雲海、溫泉之中，他有羽化登仙的出世之感。

閱讀心得

【第968篇】

唐伯虎飽啖西湖醋魚。

唐伯虎經歷了長達九個月的千里壯遊，各地的風景名勝爲他提供了寶貴的藝術素材，盤纏用得差不多了，他也得返回蘇州了，在返鄉之前，唐伯虎特地再遊杭州，除了蘇州之外，杭州是唐伯虎的最愛。

中國文人沒有不愛杭州的，愛她秀麗的山丘、森林、湖泊、熱鬧的市街、壯觀的寺廟，以及最富有詩情畫意的西湖。此外，西湖的美女也是古今一絕，唐伯虎既然以風流才子著名，自然不會放過欣賞美女的機會。

唐伯虎遊遍各地，美人兒也見了不少，他總嫌人家過於粗率，大剌剌的，感覺不舒服，尤其唐伯虎本人非常細膩文雅。

唐伯虎到了杭州就不一樣，任何一個迎面走來的杭州女子，都是身材高䠷，秀氣柔婉，輕聲細語，氣質絕佳，讓唐伯虎精神爲之一振。

他趁著微雨，獨個兒漫步於蘇東坡當年築的蘇堤，長堤舒柳，細雨飛煙，雜花生樹，心曠神怡，他想起蘇東坡曾把西湖比喻爲中國第一美人西施，濃妝也罷，淡妝也好，都有不同醉人的風韻：『水光瀲灩晴方好，山色空濛雨亦奇，欲把西湖比西子，淡妝濃抹總相宜。』

以前人遊西湖曾謂『隄上駿馬，橋下畫船』。唐伯虎對騎馬沒興趣，對畫舫則十分著迷，小船佈滿了湖心，船中的甜食、糕點也是唐伯虎百吃

不厭的。

當然，來到了西湖，一定得去嚐一嚐著名的『西湖醋魚』，相傳西湖醋溜魚是宋朝王嫂發明的烹調方法。唐伯虎坐在湖邊小樓上，憑高就可見到一簍簍生蹦活跳的草魚，魚長不過尺，重不超過半斤。

大廚師把魚清理乾淨之後，以沸湯燙熟，勾芡調計，略撒薑末，不濃不油，清清淡淡，微微透明，唐伯虎用筷子夾了一口，忍不住讚道：『鮮啊！』現殺活魚果然滋味不一樣。

唐伯虎對杭州十分熟悉，吃完了活魚，他沿著西湖水岸，到達著名的『靈隱寺』。靈隱寺面對冷泉，風景清幽，東晉咸和元年，印度高僧慧理來到這兒，大嘆『此地不俗，多爲仙靈所隱之處』，遂建靈隱寺。吳越王錢鏐篤信佛教，曾大予擴建，有九樓十八閣，七十二殿，僧徒曾高達三千人。

當然，唐伯虎去靈隱寺遊玩之時，已不復當日勝況，唐伯虎一直念念不忘靈隱寺流傳的一段故事：蘇東坡身爲杭州通判之時，靈隱寺中有一位和尚，名叫了然，了然動了凡心，愛上了一位名叫秀奴的少女，後來，秀奴不想再與和尚糾纏，一天晚上，了然喝了酒，失手把秀奴打死了。

蘇東坡審問了然時，發現了然手臂上刺了兩行詩：『但願生同極樂國，免教今世苦相思』。蘇東坡嘆了一口氣：『唉！這個禿奴，這回還了相思債。』

由於唐伯虎自己是個多情人，雖然了然行爲不足取，他還是十分的同情。

接著，唐伯虎由南岸到了葛嶺，在虎跑寺逗留一會兒，觀賞名泉，啜一口著名的龍井茶，龍井村四面環山，遍山茶樹，龍井茶名聞遐邇，早在唐朝陸羽的《茶經》一書中，曾經特別推薦龍井茶。龍井茶外觀似蘭花，十分秀雅，青翠嫩麗，開水一沖，由鮮綠而淡綠，甘醇芳香，後味無窮。

唐伯虎是懂得喝茶的人，輕輕呷上一口，滋味眞好，旁邊一位遊客說：『待會兒要去虎跑寺看一看。』

『那兒我剛去過，杜鵑盛開，十分壯觀。』唐伯虎插了一句。

『那麼，你知道爲何稱爲虎跑寺嗎？』遊客問。

『這我就不知道了。』唐伯虎回答。

『好有趣，我也是剛才聽來的，相傳有人見到二隻老虎跑來挖穴，竟然噴出泉水，因此稱爲虎跑泉，後來又蓋了虎跑寺。』

唐伯虎笑一笑：『也許，老虎當時也渴了，牠曉得下面有甘冽的泉水，難怪這一帶的龍井茶特別清香宜人。』

既然來到了杭州，唐伯虎自然得要去岳王墓與岳王廟。

唐伯虎先去看岳墳，岳墳前有四個鐵像，面墓而跪，分別是陷害岳飛的秦檜、秦檜妻王氏、張俊與万俟卨，墓闕上刻著『青山有幸埋忠骨，白鐵無辜鑄佞臣』。唐伯虎以前也來過岳墳，但是在自己身受冤獄之後再來重遊，內心感觸甚多，尤其是讀到岳飛的手蹟：『飲酒讀書四十年，烏紗帽上有青天，男兒欲到凌雲閣，第一功名不愛錢。』的確，如果文官不愛錢，武官不怕死，中國歷史該改寫了。

他又去了岳王廟，站在岳飛草書『還我河山』四個字下良久良久，唐伯虎穿過門樓，看到正殿中懸掛的『心昭天日』，心中爲之一動，他心想，岳飛遭到如此冤枉，仍然氣概萬千，我受到小小冤獄，馬上就放出來了，不值得永遠記掛這件事，回去後，把所有煩惱拋開，馳騁於書畫之中吧！

閱讀心得

【第969篇】

唐伯虎休妻。

唐伯虎的千里壯遊終於告一個段落，盤纏快用完了，他也必須返回蘇州了，想起家中的妻子何氏，心中不免也有一絲赧然，但是，唐伯虎不能不承認他害怕回家，害怕面對現實。

這時，已經是冬天了，冷風瑟瑟，唐伯虎縮起了脖子，豎起了衣領，他還沒有踏進家門，就遠遠聽到粗啞的女聲傳來：『等哥哥回來，我看我們還是盡早分家吧。』

唐伯虎聽聲音就知道，這是弟弟子重的媳婦姚氏，一個相當粗魯的女子，子重在橋頭酒店記帳時認識的。

姚氏的話還沒說完，唐伯虎又聽到何氏不甘示弱的回應：『我也正想分家，我在娘家從來沒受過這種罪。』接著，『碰』的一聲，何氏用力關上房門。

唐伯虎幾乎不想進門。他先深呼吸三下，直鼓起勇氣往前走，弟媳婦姚氏見到哥哥，丟給他一個白眼，連起碼的招呼都懶得打。唐伯虎嘆口氣，推開了房門，何氏正躺在床上生悶氣，看到唐伯虎回來了，霍的一下坐了起來，氣嘟嘟的說：『你這個死人終於回來了。』接下來是一串串的連聲抱怨。

唐伯虎沒好氣的回答：『我是活人，不是死人。』

他用眼角瞄了一眼何氏，眞是難看，頭髮亂七八糟，臉孔蠟黃，眼神呆呆滯滯，嘴唇全無血色，兩邊向下垮。世界上任何絕色佳人發起脾氣時也會變得醜陋，何況，何氏經過這些年的折磨，身心俱疲，面容憔悴，沒有精神也沒有財力裝扮。唐伯虎幾乎懷疑，這就是當年嬌艷欲滴的何家大美女嗎？

『你這個死人究竟聽到了沒有？』何氏憤怒的追問。

一句句的死人讓唐伯虎心中反感到了極點，也把他原先對何氏的歉意一掃而光。沒錯，唐伯虎現在是潦倒不得意，他還是有才氣啊，而且，他的俊俏瀟灑，照樣顚倒眾家美女啊。

剛自杭州歸來的唐伯虎印象之中，杭州這個美人窩的美女，哪一個不是偷偷打量著他，經常，唐伯虎付了錢，買了東西，人都走了半天，猛一回頭，看見賣東西的姑娘仍舊深情注視他的背影，發現唐伯虎轉身，又害羞的忙這忙那。

類似的情形遇到太多回，唐伯虎對於自己的魅力信心十足。因此，他也索性脾氣一發：『你既然嫌我是個死人，不如我們就此分開。』

何氏聽了，當場呆住。沒錯，她是有一肚子的委屈與不滿，但是，她並沒有要與唐伯虎分開的打算。一來，她對唐伯虎還是有情的，二來，明朝是獎勵貞節最力的朝代，一部《二十四史》之中，節烈婦女最多的，莫如《明史》了，所以，何氏被休之後，她在社會上將無容身之地。

何氏又哭又鬧，拿起枕頭丟到唐伯虎身上，『你好狠的心！』摔完了枕頭，拿起盤盤碗碗朝地上砸，如此潑辣眞不像何氏會做的事。

唐伯虎忽然想起『貧賤夫妻百事哀』這句老話，心中悵惘極了，一個富裕的千金大小姐嫁給他之後，淪落到這步邋遢的田地，何嘗不也是丈夫的無能？因此，唐伯虎寫了休妻書之後，大病一場，躺在床上嗯嗯啊啊，彷彿又回到了千里壯遊之前的消沈。

如今，他與弟弟家也分了，老婆也休了，天天賴在床上也不是辦法，思前想後，無路可走，扶著歪歪倒倒的身子，開始作畫，經過了一趟名山大川的遊歷，對他的畫藝境界，進展極快。

唐伯虎原先就下過臨摹的苦功夫，從宋朝的李唐、李成到馬遠、夏圭，他都苦心研習。另外，他的書法奇美，他把寫字的手法運用到繪畫之中，所以工筆畫如同楷書，寫意畫就像草書，用筆細密秀潤。唐伯虎曾拜周臣爲師，經過千里壯遊之後，胸中奇丘異壑更增添了渾厚豪放。當然，唐伯虎學問好，更是藝術成就的基礎。

周臣自己對人說：『我缺少唐生胸中數千卷書。』做老師的甘拜下風。山水之外，唐伯虎的人物畫飄逸瀟灑，風姿嫣然，他的花鳥，用筆簡單，靈活乾淨，緊密有致。

唐伯虎雖然畫得好，賣畫初期並不順利，他懶得多作交際，也不善於談價錢，只要有人要，唐伯虎從來也不計較酬勞。

有一天，唐伯虎正在睡覺，忽然覺得窗外有個人影竄來竄去，他原先以爲是小偷，繼而一想，這個破家也沒甚麼可偷的，隨便他拿吧。

過了一會兒，這小偷竟然走到了床前，驚醒了唐伯虎，唐伯虎一看這小偷，瘦小細弱一副搬不動任何東西的模樣，好像沒資格偷東西。唐伯虎好奇的問：『你來做甚麼？』

『我，我，我好喜歡你的詩與畫。』這小偷結結巴巴道。

『那我畫給你就是了，何必鬼頭鬼腦嚇我一跳。』

『可是，可是我沒有錢。』這小偷低下了頭。

唐伯虎自己也缺銀子，特別同情沒錢的人，他笑笑道：『有沒有打一壺酒的錢？』

『有，有，』這小偷急忙奔出去，帶回一壺酒、幾包酒菜花生來。於是唐伯虎與小偷對飲之後，鋪紙作畫，兩人都是窮光蛋，不如畫一個呂蒙正顯貴之後賞雪的美景過個癮，並且題上一首詩：『冰雪風雲事不同，今朝尊貴昨朝窮，窮時多少英雄伴，名字應留夾袋中。』

閱讀心得

【第970篇】唐伯虎含淚葬花。

唐伯虎迫不得已走上賣畫一途，在他看來這是百般無奈，他心中其實是希望官運亨通的。然而，事實上，假如唐伯虎仕途得意，中國歷史上就少了一位了不起的藝術家。

倘若唐伯虎做了官，也許，閒來無事偶爾也畫上幾筆，玩票消遣畢竟比不上專業，唐伯虎要等著賣畫餬口，自然必須更加努力，他的才氣加上他的鑽研，沒多久，唐伯虎的畫打開了市場，尤其是山水畫與人物畫。

唐伯虎這個人一向瀟脫、慷慨，有人問他：『為甚麼你的潑墨畫畫得這麼好？』潑墨是中國山水畫的一種，以水墨傾瀉揮灑，彷彿作潑狀而得名。

唐伯虎大大方方傾囊而授：『作潑墨，不宜用井水，應當用溫水，或者用河水也可以，先把硯台洗乾淨再磨墨，蘸墨之前，必須先把筆毛舒開，浸飽了水，然後蘸墨，那麼，墨吸上筆很勻暢，如果是先蘸墨，然後再去蘸水，筆尖上的墨都被水沖散，就不能畫了。』

當唐伯虎境況逐漸轉好，有人開始勸他，應該再娶一房妻子。唐伯虎心中早有一個人選，那就是沈九娘。九娘是歌女出身，不過，美麗、溫柔、多情，脾氣柔順。經過了徐氏的暴躁，唐伯虎深知自己藝術家性格，易喜易怒，假如再遇上烈性女子，家中必然衝突不斷，尤其他生性風流，模樣瀟灑，除非妻子度量寬廣，否則定不能忍受他到處拈花惹草。

沈九娘敬愛唐伯虎的縱橫才氣，縱容唐伯虎的任性風流，夫妻之間感情十分濃郁，唐伯虎在九娘的體貼照顧之下，完成了許多不朽的創作，爲此，唐伯虎寫了一首感懷詩，『不煉金丹不坐禪，飢來吃飯倦來眠，生涯畫筆兼詩筆，蹤跡花邊與柳邊。鏡裡形骸看更老，燈前夫妻月同圓，萬場快樂千場醉，世上閒人地上仙。』

唐伯虎十分感激九娘的大度，他常常問九娘：『你是不是九鯉仙子，可憐我的遭遇才來陪我的？』

『九鯉仙子是甚麼？』九娘不解的問道。

唐伯虎把九娘的手拉過來，湊在嘴邊親了一下，回憶道：『我在閩北屏南縣內，發現九鯉湖，湖面不寬，景色宜人，山中飛瀑輕紗縹緲，水花細濺，出塵秀逸，空靈悠遠。有一位老漁翁說了一個故事，相傳在很久很久以前，東海水母娘娘一共有九個女兒，一個比一個漂亮，尤其是最小的一個名叫九妹，聰明靈秀，秀麗動人，九妹在湖中一共修煉了九百年，功力深厚，成了九鯉仙子。

『有一年，一個秀才進京趕考，經過湖邊，一個不當心失足落水，九鯉仙子見了，急忙把秀才救到岸上，兩人一見鍾情，有緣有愛，結爲夫妻，相敬如賓。不幸的是，水母娘娘知道了，十分生氣，派來黑魚精，把秀才又一把推入湖中，並且把九鯉仙子收回了東海。人們懷念九鯉仙子，於是修了九鯉祠，供上九鯉仙，聽說九鯉仙子常常回到湖中，爲迷路的書生秀才指引道路。』

說著，唐伯虎雙手舉起九娘的面頰：『你會不會是九鯉仙子？』九娘笑道：『幸虧不是，不然就得回到東海去了。』

唐伯虎賣畫收入日豐，他又開始到處獵艷，九娘也不在意，她知道唐伯虎最愛她，其他只是逢場作戲不用太認眞吃醋。唐伯虎的許多風流韻事就是這段期間傳出來的。

雖然繪畫生涯比較平順，九娘也溫柔可人，唐伯虎對於官場失意，始終是耿耿於懷，情緒也高高低低起起落落。他三十九歲那一年，侄兒長民突然過世，又勾起了唐伯虎的傷感。

他原來就是一個多愁善感的人，古往今來，任何一位有成就的文學家、藝術家、音樂家也多半是情緒不定的，他們的感情比別人豐沛，心思比旁人細膩，苦苦樂樂的感受比別人敏銳，這才能創造出不凡的作品。

唐伯虎邀來文徵明、祝枝山喝酒，突然飄雨了，他也開始眼中飄雨，蹲在花下大哭特哭。朋友怎麼勸也勸不動，祝枝山問他：『花開花落原是十分平常之事，何必為此落淚？』

唐伯虎不回答，彎起腰把地上的花瓣一一撿起來，小心翼翼裝入錦囊之中，把泥土挖了一個坑，將花瓣埋入坑中，並且有感而發寫了著名的〈花下酌酒歌〉，指出：『花前人是去年身，去年人比今年老……人生不向花前醉，花笑人生也是呆。』

據專門研究《紅樓夢》的紅學專家俞平伯考證，曹雪芹就是在唐伯虎葬花一事之中得到靈感，因此在創造《紅樓夢》中林黛玉一角之時，將多愁善感、性情孤高、弱柳扶風的林黛玉也安排了一段黛玉葬花，也成爲《紅樓夢》之中最膾炙人口的一段。《紅樓夢》中第二十七回描寫黛玉葬花的情景是這樣，黛玉妹妹『勾起傷春愁思，因把些殘花落瓣去掩埋，由不得感花傷己，對花興歎：「爾（你）今死去儂（我）收葬，未卜儂身何日喪！儂今葬花人笑癡，他年葬儂知是誰，試看春殘花漸落，便是紅顏老死時，一朝春盡紅顏老，花落人亡兩不知。」』

黛玉葬花賺盡了萬千讀者的眼淚，殊不知這葬花的雅事原本出自唐伯虎，曹雪芹讓林黛玉再做一遍，美人配葬花，勾起人們淒情之感，無怪膾炙人口。

閱讀心得

【第971篇】桃花塢中的小仙女。

唐伯虎在桃花塢落成之後，就分別在幾間茅舍上題了學圃堂、夢墨堂與蛺蝶齋幾個不俗的名字，前前後後種滿了雅竹花卉，漫步在桃花塢中，唐伯虎心情幽靜。

也在這一段期間之中，他爲自己取了許多別號，諸如六如居士、桃花庵主、魯國唐生、逃禪仙吏、江南第一風流才子等。其中唐伯虎自己最欣賞的是：江南第一風流才子。

文徵明指著這一方『江南第一風流才子』圖章不以爲然道：『你平日自命風流到處留情也就罷了，何苦在畫上留下圖章，貽笑大方。』

唐伯虎正一正臉，莊嚴無比的解釋道：『所謂風流倜儻指的是舉止瀟灑、品格清高、才高志遠、不受拘束之意，風流不是下流，多情並非濫情，我可不是見了女人就跟在後頭流口水的登徒子。』

『你的眼光高著哪，這我還不清楚，只是你的多情，難免讓人誤解。』文徵明意味深長的看著唐伯虎。

『多情總比無情苦，沒辦法，唉！』唐伯虎感情豐富而且脆弱，這爲他帶來極大的快樂與無邊的痛苦，可是，假如沒有如此充沛的情感，也就沒有偉大的藝術創作了。

這段期間，蘇州大雨傾盆，接連下了半個多月的雨，桃花塢都快要成爲桃花池了。好容易終於天放晴了，唐伯虎踩著一腳濕泥到街上去，發現災情慘重，滿目瘡痍。

忽然之間，唐伯虎聽到窸窸窣窣的啜泣之聲，他循著聲音，發現一個十歲左右的小女孩，一個人跪在道旁，不住的揉眼睛，擦著永遠擦不乾的淚水。小女孩長得好清秀，模樣好可憐，她衣領上插著一塊木牌，上面寫著『賣身葬母』四個字。

假如不是阮囊羞澀，唐伯虎口袋裏空空如也，他一定會忍不住把小丫頭買下來，他倒不是想多一個丫頭使喚，完全是同情心使然。

回到家，唐伯虎腦中仍是小丫頭無助的可憐模樣，晚餐時，他告訴九娘：『那個小女孩一定沒得吃，不曉得餓了多少天了？』

該睡覺了，唐伯虎翻來覆去睡不著，他翻身而起問九娘：『小女孩還跪在那邊，我怎麼睡得著？』

九娘了解唐伯虎心腸軟，她也十分難過道：『一場豪雨，摧毀了多少家庭，難民這麼多，救也救不完。』

唐伯虎滿腦子全是災後慘狀，濃厚的同情心讓他無法坐視，卻也沒有搭救的能力。於是，他乾脆披衣而起，把白天親眼所見一一畫了下來，題名為『野望憫言』，當他在畫這幅畫時，耳旁似乎聽到小女孩的哀哀哭聲，多情的唐伯虎柔腸寸斷，因此，畫筆格外傳神。後人稱讚這幅名畫『真神筆也』，原因是唐伯虎動了真感情。

唐伯虎畫得雖好，環境卻沒有改善，顛沛困阨之中，終於有一樣讓唐伯虎開心的事，九娘生了一個女兒。中國人一向是重男輕女的，唐伯虎私心裏也希望有個兒子，但是，他也同樣欣喜迎接女兒的來到，何況這個小女孩是如此可愛。

唐伯虎生得俊美，九娘是人間絕色，唐伯虎的女兒同時繼承了父母的優點，粉雕玉琢，美麗可愛到了極點。

九娘生產前一天，晚上作了個夢，夢到天上一群仙女翩然起舞，並且吹著笙簫管笛。其中一個吹笙的仙女走過來，對九娘嫣然一笑，把懷中胖胖的小嬰兒交到九娘手上，就在這一剎那，九娘開始陣痛，沒多久，產婆來了，小女嬰順利產下。

唐伯虎得意的説：『這毫無疑問，準是仙女下凡。』爲了紀念這段特殊經歷，唐伯虎把女兒取名爲桃笙，桃乃桃花塢之意，又是桃紅柳綠之時，笙是吹笙仙女賜給的小仙女啊。

從此之後，唐伯虎最大的消遣就是逗小桃笙，當他畫畫累了，就把小桃笙摟在懷中親一個，小桃笙的粉頰白裏透紅，上面覆蓋一層白白細細的絨毛，彷彿桃子般的鮮艷動人。

唐伯虎逗著小桃笙，『你是一個小桃子，我把你吃掉好不好？』

小桃笙亮亮的眼睛緊緊盯著唐伯虎，難爲情的抿抿嘴，彷彿在説『好嘛』，唐伯虎大笑，把小桃笙抱了起來，親親她的小臉蛋，覺得十分幸福。

女兒滿月那天，唐伯虎畫了一幅水墨牡丹，題名爲『女兒嬌』，唐伯虎對九娘解釋道：『女兒嬌是一種名貴的牡丹，蘇州難得見到，特別寫生，爲女兒滿月誌慶。』

九娘笑道：『你眞是最疼女兒的父親了。』

閱讀心得

【第972篇】

唐伯虎的日本朋友。

唐伯虎中年得女，桃笙的嬌憨，撫平了他一部分的失落，但是，官運斷絕，對於一個中國讀書人而言，永遠是心中無可彌補的創痛。唐伯虎把他懷才不遇的傷感，寄託於丹青之中，久而久之，他的畫筆愈來愈生動巧妙。

小桃笙滿月不久，桃花塢中來了一位稀客，那就是日本友人彥九郎。

從明朝初年開始沿海就有倭寇之亂，所以明朝和日本之間的關係極爲不愉快。雖然如此，日本與明朝交通並未斷絕，公家使節與私人的留學經商時有往還。正德年間，日本遣使了庵等前來中國，彥九郎也是其中一名成員。

三年後，彥九郎再度來訪，並且前往江南遊覽。他一到蘇州之後，偶然見到了唐伯虎的畫，彥九郎整個人呆住了，他對中國文化頗有點研究，能寫漢字，也能畫幾畫，並且寫得一手端正的好書法，彥九郎對著唐伯虎的花鳥讚美道：『這眞是既野逸又活潑，水墨淋漓，奔放自由。』他搖頭晃腦，驚歎不已。

一旁陪同的中國友人詢問道：『你想不想見一見唐伯虎？』

『可能嗎？』彥九郎睜圓了眼睛。

就這樣，彥九郎與唐伯虎相見於滄浪亭。唐伯虎丰神俊逸，舉止瀟灑，出口成章，談吐不俗，由於學養深厚，自然氣質不凡。

彥九郎脫口而出道：『我聽人家說，周臣曾經自嘆弗如：說自己因爲缺少唐生胸中數千卷書，所以無法畫出如此雅致的作品，今日得以拜見大師，人如其畫，風流瀟灑，佩服，佩服！』

唐伯虎也頗爲欣賞彥九郎的不俗，當下邀請他前往桃花塢一遊，並且由周東村、祝枝山、張夢晉等人作陪，俱是風雅人士。九娘做了幾色道地江南美食，大家談談笑笑，非常愉快。

奈何天下到底沒有不散的筵席，臨別之時，彥九郎突然起身，行了一個日本式九十度的彎腰大禮，非常懇切的說：『請唐先生題詩，以記錄今日難忘的情誼。』

唐伯虎原也是個爽快人，當下答應：『好。』到底才氣縱橫，他舉起酒盃，喝下一盅之後，立刻揮毫寫道：

『萍蹤兩度到中華，歸國憑將涉歷誇，劍佩丁年朝帝扆，星晨午夜拂仙槎，驪歌送別三年客，鯨海遄征萬里家，此行倘有重來便，煩折琅玕一朵花。』

詩前唐伯虎寫了一句『彥九郎還日本，作詩餞之，座間走筆，甚不工也。』意思是說：彥九郎將回日本，我作詩餞別，因爲是筵席之間匆匆忙忙寫就，寫得相當不工整；詩後，唐伯虎落款爲『正德七年壬申仲夏望日姑蘇唐寅書』。

彥九郎目不轉睛注視著唐伯虎題詩，望著他筆下飛動，唐伯虎的書法是這般秀潤生動，唐伯虎題詩的姿態是這般美妙專注，彥九郎頭上轟的一聲，覺得像在作夢，他不敢相信眼前是眞實的景象。

唐伯虎旋過身來，把寫好的條幅遞給彥九郎，彥九郎再行九十度大禮，口中不斷『阿里阿多』的謝謝，接著雙手捧過來，待晾乾後，交給侍從收藏，他眞是如獲至寶，滿載而歸。

後來，彥九郎回到日本，這幅字畫成爲傳家之寶，一直到今天，唐伯虎送給彥九郎的字畫，仍然小心收藏在日本東京國家博物館之中。

彥九郎的來訪，讓唐伯虎興奮了好一陣子，做爲一個藝術家，最需要的就是知音的欣賞。

彥九郎走了，唐伯虎又開始陷入憂鬱之中，終其一生，他忘不了考場失意，蘇州城內住了不少退休的官員，瞧他們模樣，蠢頭笨腦，聽他們說話，粗俗不堪，可是，畢竟在京城裏當過官，就算是芝蔴點大的小官，卸下職務之後，依然神氣活現，身邊人依然巴結奉承，沒辦法，中國人就是最在乎做官。

唐伯虎喜歡人們稱他爲『解元』，表示他到底曾經在鄉試之中高中第一名解元。但是他又最不喜歡人們稱呼他爲『解元』，因爲他自認是狀元的料，只是時運不濟，遭人陷害，這一分委屈與失意，日日夜夜啃噬著他的身心，也害得他永遠身體虛弱。

四十五歲那一年，有一位陌生人闖入了桃花塢，非常客氣、非常禮貌的拿出一張聘書，以及白花花的一百兩銀子。

這位使者溫文儒雅，他說明來意道：『寧王十分欽佩仰慕閣下的才學，希望能夠聘請到寧王府中的陽春書院論詩作畫。』

使者用非常仰慕的口氣形容寧王：『你再也見不到如寧王一般愛才的王爺了。』『畢竟是家學淵源，寧王的高祖是不一樣的人啊。』

第一代寧王名叫朱權，他是明太祖朱元璋兒子中最有學問的一個，他曾經著有《通鑑博論》、《史斷》、《詩譜》等書。

唐伯虎書讀得多，讀得廣，這幾本書他都曾經涉獵，一談之下，非常有親切感，他由衷的說：『寧王高祖的大作我都一一拜讀過，十分欽佩他的見解。』

『那麼，你還猶豫甚麼？』使者追問道。

唐伯虎心裏頭熱熱的，剛剛走了一個彥九郎，馬上來了一個寧王，眞是天可憐見。不過，懷才不遇的人碰到了解的知音，那個感覺美妙極了。

閱讀心得

【第973篇】

寧王香餌誘唐寅。

落魄失意的唐伯虎，忽然之間收到寧王宸濠的聘書，邀請他到陽春書院作詩論畫，唐伯虎有久旱逢甘霖之慨。

寧王宸濠的故事，我們曾經詳細敘說，他見正德皇帝荒淫早有異志，後來起兵謀反，被王陽明活捉。此刻的宸濠，尚未謀反，兇象未露，裝成一副禮賢下士的模樣，各方招攬人才。宸濠在南昌設立陽春書院，多方籠絡士林。

在宸濠眼中看來，科場失意的唐伯虎這種人，必然牢騷滿腹，最能加以運用，協助造反，取得天下。

可憐的唐伯虎完全沒有料想到，白皙斯文，據說頗有文才的宸濠竟然準備拉他做誅滅九族的造反行爲。

雖然人生連連受挫，本性熱情的唐伯虎始終不懂防人之心，他永遠善於編織美夢，把人想得十分完美高貴。

唐伯虎與匆匆的對九娘說：『帝王之家能如宸濠者太少，宸濠讓我想到梁武帝的兒子昭明太子。昭明太子樂善好施，心地善良，才氣縱橫，他曾經蒐集了具有代表性的文章，編成《昭明文選》。』說著，唐伯虎走到書桌之前，把《昭明文選》遞給了九娘。

上真

九娘約略的翻了一下，對九娘而言，這本書太深奧，她看不懂，但是，她非常高興，一天到晚自嘆懷才不遇的唐伯虎，這一回終於遇到伯樂了。

九娘深深愛著唐伯虎，唐伯虎的一分快樂，可以讓九娘十分快樂，唐伯虎的一分哀傷，也可以讓九娘十分哀傷，九娘已經太久沒有見到唐伯虎眼中發亮了，她握著唐伯虎的手，高興得話都講不清的說：『太好了，假如寧王能在皇帝面前美言幾句，或許你能平反，從此開創一條新的官途。』

九娘眞是一位可人兒，一句話就恰好正中唐伯虎要害。中國古代皇帝的一念之間，絕對可以轉變乾坤，既然宸濠如此欣賞唐伯虎，就近向皇帝推薦，這也是大有可能之事啊，這時的唐伯虎倘若知道，宸濠想殺掉皇帝，一定會嚇得昏倒。

唐伯虎拍拍九娘的肩：『我倒不敢如此妄想，不過，能與當代的昭明太子一起談詩論文，倒也是難得的經驗，想必他也久聞我的才名。』講到這兒，唐伯虎不自覺又流露了對藝術的自信。

『只是，只是……』唐伯虎抱起了二歲的小桃笙，十分捨不得道：『我捨不得我的寶貝小女兒。』他又親一親九娘的面頰，『我也捨不得你啊，我已經四十五歲了，身體不佳，又離鄉背井，一個人孤零零的。』

『這……』九娘也爲難了，當然，她也捨不得唐伯虎，她卻也不敢耽誤了夫婿的前程，九娘知道，男人心裡仍然是『學成文武藝，貨於帝王家』。能得到帝王之家的賞識，實在是莫大的誘惑力。

『不如，你去找文徵明商量一下。』九娘建議道。

『對！』唐伯虎立刻穿鞋，深夜造訪文徵明。一路之上，他步履輕快，精神抖擻，自從科場倒了大楣之後，他第一回覺得人生又有了新希望，人，是靠著希望撐下去的啊。

唐伯虎見到了文徵明，興奮得還沒開口，文徵明立刻鐵口直斷：『瞧你樂得甚麼似的，一定是寧王府請你去當食客。』食客是富貴人家的賓客，或稱之爲門客。

唐伯虎大爲吃驚：『怎麼數日不見，兄台竟然練成了他心通。』所謂他心通，指的是學佛到一個程度，能夠通曉他人的心念而沒有障礙。

『我哪有這麼大本事？』文徵明啐了唐伯虎一口，他從身後也拿出一張聘書道：『我嘛，碰巧也收到了一封。』

唐伯虎喜出望外，大聲的說：『正好，我們結伴而行，這樣也不寂寞了。』

文徵明看了唐伯虎一眼，不好意思的說：『實不相瞞，我雖然屢試不第，承蒙幾位父執輩的大力推薦，已經把名字列在翰林院待詔名下，雖然詔書未到，但是卻不宜前往寧王府。』

『恭喜，恭喜！』唐伯虎眞心爲朋友高興。

文徵明坦誠的、專注的望著唐伯虎：『至於你，自從考場弊案，蒙不白之冤，這條仕途已斷，不可能走我的路子，我聽說寧王禮賢下士，十分敬慕讀書人，你去試試看，總是一個機會，總也比賣畫典當過日子來得強。』

唐伯虎一咬牙道：『我這就打定主意去了。』

此時此刻的宸濠，摩拳擦掌想要造反，他一方面重金賄賂劉瑾等宦官，請他們在正德皇帝之前當內線；一方面找來失意的李士實、劉養正等人當參謀，又豢養了一堆亡命之徒。

宸濠久聞唐伯虎美名，聽說他要來了，開心得自言自語：『又多一位人才，看來我離皇帝寶座更近了。』

不明就裡的唐伯虎，哼著小調，愉快的一步步走入陷阱。

閱讀心得

【第974篇】

唐伯虎誤上賊船。

明朝正德九年，唐伯虎載奔載欣前往南昌，準備開啓人生嶄新的一頁。一路之上，他編織了許多夢想，他把寧王宸濠想像爲昭明太子，兩人飲酒作詩，一向愛朋友的唐伯虎開心極了，還沒有見到宸濠，他已經把整個心掏給了宸濠。

寧王宸濠其實是個最爲貪暴的人，不過外表白皙秀氣，又喜歡有事沒事背幾首詩詞，故作附庸風雅狀，把許多人都給騙了過去。

有一天，術士李自然、李日芳爲他看面相，看得是大驚失色，『不得了，寧王生有異表，日後當爲天子。』由於正德皇帝是個紈袴子弟，一心一意把家業敗光，所以宸濠認爲這是上天賜給他的機會，不可違忤天意也，很高興的把李自然、李日芳安置在宮中。

有一天，李自然彷彿見了鬼神般嚷嚷：『哇，城東南有天子氣。』宸濠聞之大喜，立刻在東南角蓋了一座富麗堂皇的宮殿，取名爲『陽春書院』。

唐伯虎到了南昌寧王府，就被安置在陽春書院。唐伯虎漫步其中，走在曲折迴廊之中，他覺得他的人生也是曲折離奇，感謝上天相佑，從此苦盡甘來，平步青雲，他幾乎要跳起來大聲呼喊，不曉得該如何宣洩心中的

熱情。

唐伯虎終於見到心目中的宸濠了，宸濠也終於見到想望中的唐伯虎了。宸濠長相斯文，皮膚很白，可是缺乏王爺的穩重、讀書人的氣質，唐伯虎有著些微的失望，不過，他馬上安慰自己，人不可貌相也。

宸濠看到唐伯虎一表人才，十分滿意，心中忖想，又添加一名唐伯虎，看來李自然所言不虛，遲早我將登上天子寶座。

宸濠爲了表示自己博學，興匆匆的說：『我不但久仰唐先生名，甚且我還知道文徵明是你的好朋友，不過，他曉得他不如你，還刻了一個圖章表示。』

『嘿，有這種事？』唐伯虎一頭霧水。

『連你自己也不知道嗎？』

宸濠十分得意，拍拍手道：『快把我收藏的文徵明的畫拿來。』小宦官取來一幅山水，沒錯，果然是文徵明的手筆，宸濠指著落款道：『你瞧，這一方篆印有幾個字「惟庚寅吾以降」，這難道不是說，文徵明見到你就得投降嗎？』

唐伯虎一聽之下，又好氣又好笑，原來，宸濠把『庚』字看成了『唐』，所謂庚寅是庚寅年，篆體字難識，宸濠竟然把庚看成了唐，再說『惟庚寅吾以降』是屈原名作〈離騷〉第四句話，意思是說：『太歲在寅的那一年的正月，庚寅的那一天，我降生。』由於屈原是庚寅年降生的，文徵明也是，文徵明這才引用這一句，刻了一方篆章。

唐伯虎本來想立刻指正宸濠，轉念一想，初次見面，立刻給宸濠一個難堪不好意思，也就把話硬忍下來，嘴中客客氣氣的說：『王爺果然博學。』

宸濠很高興，被唐伯虎這麼一捧，開始說詩論畫，講得是口沫橫飛，偏偏十句之中有八句是錯誤的，唐伯虎直冒冷汗，擔心一不小心提出正確的詩詞，不過，他轉念一想，身爲王爺，有此附庸風雅的樂趣已經難得，不用苛責。

接著，宸濠喚來二名歌妓，一左一右分坐兩旁，宸濠喝了一口酒，把歌妓一把抱過來，把自己嘴裡的酒用接吻的方式灌入歌妓口中，歌妓一臉痛苦，勉強把酒吞下，宸濠很得意，朗聲笑：『她們沒有酒杯，她們用的是我嘴巴的皮杯。』

接著，宸濠又用『皮杯』表演了幾次，惡形惡狀，粗魯野蠻，讓唐伯虎好不自在。

宸濠讓歌妓坐在自己的大腿上面，仰著臉說：『據說，你是江南第一風流才子，怎麼樣，我也不差吧？』

唐伯虎心想，風流指的是舉止瀟灑，他雖然也愛慕女人，其實相當拘謹，尤其不喜歡公開肉麻，他對宸濠眞有點兒失望。

宸濠表演過了風流，一點也沒察覺到唐伯虎的侷促不安，他把歌妓支使走開，用十分惋惜的聲調說：『以唐先生如此奇才，當年竟然被金榜除名，天下不公平之事莫過於此，我想起來都爲之憤慨不平。』

宸濠這一句話，不偏不倚正說中了唐伯虎的痛點，他是何等失意，又何等迫切需要安慰與溫暖啊。

宸濠又拍著胸脯道：『你儘管放心在陽春書院住下來，有任何問題立刻來找我，你是我最重視的上賓。』

久經奚落的唐伯虎又有一陣暈眩，好久沒有人這麼禮遇他了，於是，他又開開心心與宸濠對飲，感覺還滿舒服的。

閱讀心得

【第975篇】

唐伯虎的疑惑。

唐伯虎以久旱逢甘霖的心情，終於拜見慕名已久的寧王宸濠，他有一種感覺，彷彿自雲端給摔了下來，跌得好痛。

躺在床上，唐伯虎不斷的安慰自己，自古帝王將相有幾個眞正精通文史？哪一個王爺不沉迷酒色？比較起來，宸濠還是好的，至少他知道在下唐伯虎是個人才，至少他安排住宿的陽春書院寬敞舒適，至少這是一個翻身的大好機會……

雖然，唐伯虎盡量往好的一面設想，他心底有一個聲音告訴他，寧王宸濠與傳說中出入太大，他必須想辦法了解眞相。

這一夜，唐伯虎翻來覆去睡不著，他想到九娘，想到小女兒桃笙，有點兒後悔來到南昌。

第二天一大早，唐伯虎懶洋洋的起了床，沒事到處逛逛，發現遠遠走來李自然、李日芳兩位方士，走起路來搖搖晃晃，東倒西歪，一副舉止張狂的模樣，昨晚在寧王宸濠的筵席上見過，當下，唐伯虎就不禁奇怪，外界都說宸濠愛才惜才，這兩個寶貝一看就是蠢才奴才，也不曉得宸濠看上他們哪一點？

在唐伯虎看來，所謂人不可以貌相，這句話指的是外表的美醜不足

論，可是一個人的氣質涵養依然可以自外表看出。這二位方士，一個癡肥臃腫，一個獐頭鼠目，二人一搭一唱，俗不可耐，討厭到了極點。

李日芳邊走邊說：『這陽春書院果然是有天子貴氣。』

唐伯虎一聽，呆住了，寧王到底是寧王，不是天子，亂講這種造反的話可是要殺頭的啊！

李自然看出唐伯虎的訝異，得意洋洋解釋道：『你不相信，對不對？咱們兩個是堂兄弟，自小入山練氣，拜得名師，得自眞傳，學成之後，偶爾在山峰之上，發現一股天子貴氣，一路尋訪這才來到了這裡。』

李日芳在旁邊插嘴道：『所以，寧王才在這兒建立了陽春書院，你也才被聘到這兒來。』

唐伯虎心想，這才是鬼話連篇了。假如在蘇州，類似李氏兄弟這種庸俗之人，唐伯虎是看都懶得多看一眼，這會兒同在宸濠帳下，不得不敷衍二句。

唐伯虎想不出接口的話，故意諷刺道：『原來，遇到兩位高人，十分榮幸。』

李氏兄弟一點也沒聽出唐伯虎的揶揄。李自然笑著挖挖鼻孔，李日芳則一腿抖個不停，唐伯虎心忖：這兩位高人還眞夠瞧的。

李自然說：『聽王爺說起，唐先生是一位有名的畫家，那你一定甚麼都會畫啊，我家門口以前有位老先生也很會畫畫，還會捏泥人，泥人五顏六色，好漂亮。』

唐伯虎氣壞了，那種俗氣的玩偶，怎能與他的畫相提並論？他覺得自己好像呑下一隻蒼蠅般難受。

李日芳沒有發現唐伯虎的不耐煩，他突然問道：『唐先生對煉金術有沒有興趣？』

所謂煉金術，又名煉丹術，遠在漢武帝之時，有人財迷心竅，希望把廉價的金屬煉成貴重的黃金，或希望把普通的藥劑煉成長生不老的奇藥，這一類方術稱之爲煉金術，從事這些工作的人稱之爲方士，又稱爲丹家。

這些人雖然沒有辦法從廉價金屬煉成黃金，也始終沒有找到長生不老的奇藥，但是他們發現了許多化學現象，超過了同時代別的國家，因此對古代化學發展有所貢獻。

不過，李氏兄弟的程度，顯然對古代化學不可能有貢獻。

李自然說：『我們二人的煉丹術可不是一般的，不是我自誇，天下就我們最行。』

李日芳接口：『這是旁人學也學不來的。』

唐伯虎快忍耐不住了，他諷刺道：『既然二位仙人擅長煉金，那眞是再好不過了，爲了甚麼原因，不待在家中日夜煉金，煉成一堆金子，吃穿不盡，何必留在寧王府中，太辛苦了。』

李日芳一點也不覺得唐伯虎在拐彎罵人，他推了唐伯虎一把，笑呵呵道：『唐先生你不了解，這個煉金術，不但要有我們兄弟的法術，還得有福氣，依我看來，唐先生挺有福氣的，我們可以合作。』

唐伯虎又好氣又好笑，趕快結束談話：『好，我回蘇州之後，一定找一間房子，與兄弟二人一塊煉金，煉一屋子的黃金。』

李日芳拍手道：『好，一言爲定，你先爲我們題一首詩吧！』

唐伯虎走回房間，拿起筆來，氣得發抖，一揮而就：『破布衫巾破布裙，逢人便說會燒銀，君何不自燒些用，擔水河頭賣與人。』

這二個活寶似乎看不出唐伯虎在罵人，捧著詩，搖頭晃腦走了。唐伯虎不明白，寧王怎會看上這種草包，並且聽任草包胡扯天子氣，寧王宸濠難道不知道，造反的話傳出去還了得。

唐伯虎爲此，又失眠了一夜。

閱讀心得

【第976篇】

唐伯虎追念王勃。

唐伯虎好不容易才擺脫了李自然、李日芳的糾纏，他的感覺是，一張口，不小心吞下一隻活蒼蠅，又噁心，又想吐，掏也掏不出來，只是腸胃難受，全身不乾不淨。

宸濠誇獎唐伯虎左一聲『才子』、右一聲『天才』，唐伯虎的確也是挺受用的。不過，既然李自然、李日芳也是宸濠心目之中，不可多得的稀世之才，那麼，唐伯虎的才氣豈非一文不值。

唐伯虎是個浪漫多情、缺乏防人之心的人，他總是把人看得很高貴，把事情設想得很完美，所以，漸漸眞相浮現之時，唐伯虎實在受不了，他萬分懊惱，只得無奈的在陽春書院混碗飯吃，總不能馬上打道回府啊。

乾耗在陽春書院也是挺無聊的，偶爾，寧王宸濠府中有賓客前來求畫，唐伯虎也都隨和的畫了送人。不過，這些賓客幾乎都是俗不可耐，沒有甚麼文化水準。唐伯虎可以確定，宸濠確實是沒有任何品味可言，看一個人交的朋友、讀的書本，幾乎就能夠斷言，他是哪一種層次的人，儘管唐伯虎滿懷憧憬而來，他終於發現宸濠庸庸碌碌，與昭明太子沒得比。

待在陽春書院衣食不愁，卻沒半個人可以說話，唐伯虎精神上苦悶極了。有一天，他信步逛到贛江旁邊，來到滕王閣遺址，江水茫茫，山色蒼

蒼，他想起了初唐詩人王勃的故事：

王勃是初唐文壇四傑之首，王勃與唐伯虎一樣，從小是個天才兒童，六歲能詩，九歲時開始讀《漢書》，他認爲顏師古的註解有許多錯誤，他把錯誤一一列了出來，寫成〈指瑕〉，瑕就是瑕疵、過失之意，把許多大人都給嚇了一大跳。

十四歲那一年，王勃上書，推薦自己才學，朝廷舉行對策，他考得極佳，朝廷授爲朝散郎，眞是最年輕優秀的官員。王勃到處受人稱讚，自己也顧盼自雄，頗爲得意，許多人看他不慣，王勃一點也沒有察覺。

王勃爲人正直，很有正義感，當時，宮中的王爺們，閒來無事，歡喜鬥雞，順便賭個輸贏。王勃不以爲然，寫了一篇〈檄英王雞文〉，恰好被唐高宗見到了，唐高宗認爲，鬥鬥雞、賭賭錢本是小事，何必大驚小怪，挑撥王爺們的情感？因此，高宗把王勃給逐出朝廷。

一向平步青雲、恃才傲物的王勃這下慌了。慘遭打擊，何去何從？他自認爲做得沒錯，不曉得何以遭來橫禍。感慨之下，他想起中國人經常説的『不爲良相，便爲良醫』。

既然與朝廷不相合，當一個救世濟人的醫生也不壞，因此，他前往虢州，研習醫藥，擔任參軍職務。

王勃受到挫折，沒有受到教訓，他脾氣不改，依然心直口快，同事都嫌他討厭，他也有格格不入之苦。

王勃雖然滿肚子文才，卻不會處理行政事務，時時攪得焦頭爛額。有一回，一個叫曹達的，犯了大罪，逃到了王勃處避難，王勃不想收留，又不好意思不留，慌慌張張把曹達給藏匿起來。

後來，王勃愈想愈心中發毛，萬一被官府知道，窩藏犯人可不是鬧著玩的，於是，派人悄悄把曹達殺掉。這下子更糟糕，案子爆發，若非遇上大赦，王勃就是死罪。王勃萬念俱灰，不慎溺水，救上來之後，驚恐而死，不過才二十八歲。

唐伯虎與王勃一般，懷才不遇，一路坎坷，英雄惜英雄，內心感觸甚多，唐伯虎心想，幸虧王勃還留下幾首詩，幸虧他還有〈滕王閣序〉一文傳世，這序之中還有一段故事：

據說有一次，王勃省親，路過南昌，恰好閻公閻伯嶼在滕王閣宴客，王勃小有文名，也在被邀請之列。

閻公宴客的用意是出風頭，他有一個女婿，文才極佳，閻公希望女婿爲滕王閣寫一篇序，讓衆人誇讚，他這個做老丈人的，順便也露一露臉。

因此，酒過三巡之後，閻公就站了起來，清清喉嚨道：『今日群賢畢至，何不效法王羲之作〈蘭亭集序〉，也來一篇〈滕王閣序〉呢？』說著，閻公捧著紙筆，來到張老面前，客客氣氣道：『張公，請。』

張公當然明白閻公的用意，連連推辭，其後，一個一個也搖手搖頭，敬謝不敏，大家都明白，這是閻公爲女婿請的客。等到閻公拿著紙筆，請教王勃之時，沒想到這個二十多歲、嘴上無毛的小伙子推也不推，讓也不讓，一把接過來，提起筆就眞的寫了起來。

閻公氣壞了，吹鬍子瞪眼睛，惡狠狠的瞪著王勃，眼露兇光，王勃不會察言觀色，繼續磨墨。閻公氣得顧不得風度，跑到後面生悶氣，留下一個小吏，伺候王勃寫序。

這個小吏站在旁邊，王勃一面寫『南昌故郡，洪都新府……』小吏一面唸出聲音來，等到小吏唸到『落霞與孤鶩齊飛，秋水共長天一色』，意思是，暮靄漸低，孤鶩上飛，秋水含翠，長天空藍，水天交會，天地合一。

閻公自後面奔了出來，握緊王勃的手道：『這是天才之作，你可永垂不朽。』整篇序以華麗的詞藻、酣暢的筆調，描繪滕王閣的景色與宴會盛況，以及王勃懷才不遇的落魄心情。

唐伯虎回到陽春書院，以自己與王勃相同的心情，創作了一幅流傳千古的『落霞孤鶩圖』。

閱讀心得

【第977篇】

唐伯虎直說敢言。

唐伯虎參觀南昌的名勝古蹟『滕王閣』，想起了初唐詩人王勃的名句『落霞與孤鶩齊飛，秋水共長天一色』，回到陽春書院，畫了流傳千古的名畫『落霞孤鶩圖』。

唐伯虎一面畫圖，一面私忖，所謂神交古人應該就是這種心情吧，他幻想著，假如王勃坐在對面，二人說說笑笑，在陽春書院的生活就不至於如此單調、無趣、苦悶了。

據說，王勃當年寫文章有一個怪習慣，他先磨墨，磨了好幾桶備用，然後，喝酒，狠狠喝一個痛快，喝醉之後，蒙頭大睡，睡醒之後，立刻揮毫，不假思索，不改一字，一篇妙文即成。當時人稱之爲『腹稿』。

唐伯虎寫詩、繪圖也都是先有腹稿，一揮而就。他在『落霞孤鶩』圖旁寫下了一首詩：『畫棟珠簾煙水中，落霞孤鶩渺無蹤，千年想見王南海，曾借龍王一陣風。』

唐伯虎見不著王勃王南海，整日待在陽春書院又無聊，有天他閒來無事，信步逛到江西巡撫轅門外，見到附近圍著一群人，他很好奇，走過去一看究竟。

人群當中圍著一位年輕少婦，面容清秀憔悴，一面哀哀哭泣，一面指

著身上傷痕道：『人家都說，蒼天有眼，我不曉得蒼天的眼睛在哪裏，我也不曉得我做了甚麼孽，會遭到這樣的報應。我家在鄉下，雖然貧窮，勉強可以過日子。去年，來了一群人霸佔田地，搶走財產，把我丈夫也殺害了。』講到這兒，婦人悲從中來，泣不成聲。

她抹乾眼淚，眼淚又不斷湧出，啜啜泣泣道：『我氣不過，從知縣告到知府，又從知府告到巡撫，沒有一個地方肯受理，我剛自巡撫轅門出來，被打成這個模樣。』婦人捲起衣袖，白晳的皮膚上一條一條血痕，簡直慘不忍睹。

圍觀的人聽了，個個低下頭，爲婦人不平，卻也沒敢出聲。

一向斯文秀氣的唐伯虎看不過去，他高聲嚷道：『這太不像話了嘛，朝廷官吏，食人俸祿，不替人民伸冤，那還留著這江西巡撫衙門做甚麼？這婦人是否誣告，也該先徹底調查，豈可平白無故把人揍一頓……』

唐伯虎氣憤塡膺，愈說愈激動莫名，旁人吃驚的望著他，也有人悄悄掩鼻走遠，彷彿怕惹禍上身，唐伯虎不以爲意，繼續發表言論。

此時，一位慈祥的老人走了過來，拉一拉唐伯虎的衣袖，小聲的說：

『小兄弟，別講了，跟我走。』

唐伯虎見老人目光誠摯，又顯得十分著急，於是，他停止抨擊，隨著老人，走到一條幽靜的小巷。

老人打量著唐伯虎半晌，沈緩的說：『小兄弟，聽你口音，該是外鄉人吧？』

『是的，我是蘇州人。』

『嗯，剛來南昌不久吧。』

『沒錯。』

『難怪你不了解。你曉得何以衙門不受理這些案子嗎？因爲這些搶佔民田、殺人放火的勾當全是寧王宸濠手下幹的，誰也惹不起，剛才那婦人只不過其中之一，她還算好的，還有更慘的哩。』老人沈痛的說給唐伯虎聽。

唐伯虎不解道：『寧王手下打著寧王旗號胡作非爲，官府就該一五一十的稟報寧王啊！』

老人一聽此言，努一努嘴，示意唐伯虎別出聲，把唐伯虎帶到一個四下無人的荒涼地帶，壓低聲音道：『只有你這個外鄉人才會講這樣的外來話，最壞的人就是寧王了，前幾年，倒有幾個地方官比較正直，寧王就送給他們一盒棗子、一籃梨子、一包薑、一包芥。』

唐伯虎聳聳肩：『那不是挺禮遇嗎？』

老人嘆口氣：『棗梨薑芥是早早離開疆界的意思啊，沒有會意過來的王哲就被下了毒，提早見了閻王爺。從此地方官就紛紛請調，調不成的，只好乖乖就範啊。』

『朝廷不知道嗎？』唐伯虎追問。

『唉，當今的正德皇帝如何胡鬧，莫非你沒有聽說？』

老人拍了一拍唐伯虎的肩膀：『小兄弟，我佩服你的見義勇爲，不過我勸你也早離疆界，至少，少開尊口。』

唐伯虎長長一揖，謝過老人。

他呆立在路口，腦袋中轟轟作響，天啊，他投靠的昭明太子，竟然是個豺狼虎豹，真是可怕！忽然之間，他又想到李自然、李日芳所說的『陽春書院有天子之氣』，難道，寧王有意謀反？一股涼氣自唐伯虎的背脊往上竄，他全身血液凝固了，他暈頭轉向，他要昏倒了。天啊，唐伯虎恨恨的握緊拳頭，命運之神何以如此殘忍？

閱讀心得

【第978篇】

張靈思慕崔瑩。

唐伯虎聽說宸濠原來是個欺壓善良的惡霸，整個腦子轟隆轟隆，彷彿在打雷。他失魂落魄回到陽春書院，覺得自己是受騙上當，又惱怒、又生氣、又憤慨、又失望，五味雜陳，有說不出的懊惱。

唐伯虎第一個念頭，他恨不得馬上收拾行李，趁著夜晚趕回蘇州，離開這個鬼地方。繼而一想，不可，不可，不可輕舉妄動。假如寧王宸濠果眞有謀反意圖，那麼，他這不告而別，宸濠一定起了懷疑，非但他與九娘性命不保，連小寶貝小桃笙也會遭到危險，想到粉撲撲的小桃笙，唐伯虎覺得心上被狠狠咬了一口。

他勉強鎮定下來，深深吸了一口氣調勻呼吸，唐伯虎告訴自己，沉著、冷靜，小心應付眼前危機。突然之間，唐伯虎想起來他的好朋友張靈交付的重任尚未完成，受人之託，忠人之事，唐伯虎原本也還不能離開南昌。

唐伯虎有一個好朋友——張靈，在青少年時代，他們兩人曾經脫下鞋襪，在孔廟前面的泮池戲水為樂，惹來路人指指點點，他二人出盡風頭，得意之至。這一段故事，我們曾經介紹過。

張靈心目中有位佳人，名叫崔瑩，乃南昌才女兼美女，張靈日夜想

念，因此，唐伯虎此番前來南昌，張靈重重拜託。

張靈與崔瑩這一對才子佳人相遇在十年之前……

張靈與唐伯虎一般，有才有貌，風流倜儻，頗爲自負，只是家境貧窮。張靈最欽佩之人乃竹林七賢中的劉伶。劉伶的故事，我們曾經詳細介紹過，劉伶喜歡乘坐一輛鹿車，悠哉游哉到處逛一逛。劉伶有一句名言：『隨時隨地，死便埋我，死在哪兒，葬在哪兒。』張靈對這句話簡直崇拜得五體投地。

有一回，張靈聽說唐伯虎、祝枝山一群人到虎丘喝酒去了，竟然沒約他，有點不悅，他心生一計，換上一件破衫，腰上綁一根稻草，頭上頂了一個破方巾，再用泥巴抹抹臉，左手持木杖，右手捧著《劉伶傳》，一跛一跛也到了虎丘，果然發現了唐伯虎一行。

張靈舉起《劉伶傳》，大聲說：『劉伶告飲。』

唐伯虎老遠便認出張靈，他也不拆穿，一塊玩著道：『原來是酒祖宗大駕光臨，快請。』

張靈很開心，鬧也鬧夠了，酒也喝足了，又拄著拐杖，一跛一跛下山去。當時在座尚有崔文博老先生，他望著張靈的背影道：『這個乞丐生得如此清逸，如此不凡。』

唐伯虎笑笑道：『他是張靈。』說著，唐伯虎就在涼亭小几上，把張靈方才扮乞兒的模樣給畫了下來，畫得傳神之至，尤其張靈那靈秀聰慧的眼神非常吸引人。崔文博贊道：『原來他是曾經得過童子試第一名的神童張靈，果然俊秀，這幅畫送我吧，我想帶給愛女崔瑩看一看。』

這崔文博是南昌人氏，因爲護送亡妻靈柩回鄉，沿途遇上唐伯虎，由於俱是脫俗之人，相談之下，一見如故，唐伯虎等方才正談到，崔文博有一個寶貝女兒崔瑩，才華極高，容貌極美，所以一聽說崔文博要把畫帶給才女看，祝枝山也湊興道：『我就不揣淺陋，題個款吧。』

於是，祝枝山題了『張靈行乞圖』幾個勁秀的字，交給崔文博。唐伯虎、祝枝山都想在才女面前顯一顯才華，崔文博大喜過望，連聲謝謝。

這時，張靈一副乞丐打扮，正經過一條小河，看到河岸旁靠著艘小船，小船上有個混混正在戲弄小丫頭，張靈平素是斯文的書生，這一回，仗著自己是乞丐打扮，拿起手裡的打狗棍，就往小混混頭上敲去，小混混發現是比他還混的乞丐，嚇得閃身便逃走了。

小丫頭十分感激，船上的小姐也出來答謝。這小姐秀秀氣氣、白白淨淨、落落大方，侃侃而談：『奇怪，你這乞丐，手裡拿著《劉伶傳》，莫非效法劉伶一飲非一斛不可，要五斗才能盡興。』

張靈抬頭見到佳人，如此秀麗脫俗，魂已去了一大半，聽到她又談起劉伶，並且對劉伶十分熟悉，簡直一團慌亂，情急之下，脫下頭上的方巾，深深作了一個揖，必恭必敬道：『小生張靈，字夢晉，姑蘇人氏，年方三十有零，尚未娶妻也。』

崔瑩哈哈大笑，也不忸怩作態如一般女子以手掩嘴，她笑得十分開心，一句話就戳過去：『這不是《西廂記》中張生的台辭嗎？』

張靈有點不好意思，也跟著咯咯的笑，這一笑化解了彼此的尷尬，張靈發現眼前這個崔瑩，與崔鶯鶯一般『顏色豔異，光輝動人』。但是沒有崔鶯鶯的多愁善感，自怨自苦，反而有點兒男兒俠義作風，快人快語，非常有趣。張靈心想：『我現在了解《西廂記》中形容張生「飄飄然，自疑神仙之徒」的感覺了。』

於是，張靈留在船中喝茶，與崔瑩談詩論畫，棋逢對手，快樂極了，直到傍晚，張靈才萬分不捨的告辭。

這時，崔文博回來，欣喜的拿出畫來獻寶，崔瑩笑咪咪道：『這位乞兒剛剛走。』崔文博大喜，可惜樂極生悲，當天晚上，崔文博腹痛如絞，擔心得了重病，連夜開船趕回南昌。

閱讀心得

【第979篇】張靈一片癡心。

張靈與崔瑩一見鍾情，互相愛慕。張靈告別崔瑩，相約明早再見之後，張靈立刻奔向唐伯虎處，手舞足蹈，大嘆崔瑩是如何亭亭玉立、人品清秀、才思敏捷、風度雅致……

唐伯虎笑道：『瞧你二人含情脈脈，你姓張，崔瑩又姓崔，豈不像是《西廂記》中的張生與崔鶯鶯，但願沒有棒打鴛鴦的老夫人。』

張靈臉色一暗：『我的確家貧。』

唐伯虎推了張靈一把：『可是，你未來的老丈人誇你風流瀟灑、斯文俊秀，我還送了他一張你的畫。』

『甚麼？』張靈張大了眼睛，又驚喜又詫異。

於是，唐伯虎一五一十告訴張靈，小亭中的老先生是崔文博，也就是崔瑩的父親，唐伯虎畫的『張靈行乞圖』被他給要了去，祝枝山還在上面題了款。

『該死，我還一身乞丐打扮。』說著，張靈立刻打水梳洗。他原本儀容英俊，人逢喜事精神爽，益發顯得風度翩翩、魅力不凡，唐伯虎舉起大拇指道：『果然一表人才。』

這一天晚上，唐伯虎與張靈就談個通宵，因爲張靈興奮得沒法入睡，

隔不了多久就探頭看看窗外，『怎麼還不天亮，奇怪，今天的夜特別長。』

唐伯虎淺笑不語，回身抽出一本《西廂記》，翻開其中一段，描寫鶯鶯寄給張生『明月三五夜』的詩之後，張生巴不得立刻去會見鶯鶯，只恨天色不晚，王實甫描寫張生的心情是，大嘆『天啊，你擁有萬物，何苦爭此一日，快下山吧』。好容易捱到中午，自己勸自己，『再等一等』，看著太陽，又大嘆『今天太陽怎麼如此難下山』。到了後來，恨不得『手上有一把后羿弓，想把太陽給射下來』。

張靈點點頭：『對，我一刻也熬不下去了。』他又跑到門外看天色，終於天空露出了魚肚白，快到黎明了。

張靈拉著唐伯虎的手叫道：『快，我們快去。』

唐伯虎甩開張靈的手：『你的夢中人還沒有起床。』

禁不起張靈再三催促，唐伯虎一大早就被張靈拉到岸邊，奇怪的是，崔家的船不翼而飛，張靈失魂落魄，四下打聽，終於附近的漁船主人道：

『昨晚已划走了。』

一聽此話，張靈如遭電擊，幾乎支撐不住，他一個勁兒埋怨自己：

『早知如此，就該整個晚上守在岸邊。』

唐伯虎眼見好友如此失望，心生不忍，又不曉得該如何安慰。

張靈甚麼話也不說，兩腳一分，坐在岸邊，他不明白何以有這麼大的變化，當然他也不曉得當晚崔文博得了急病，不得不連夜趕路。張靈悶坐一旁，鬱鬱寡歡，任憑唐伯虎怎麼說笑逗趣，總不能引得他稍開笑臉。

唐伯虎與張靈從早到晚，守在岸邊，崔家的船當然沒有出現，張靈快快回到家中，茶飯不進，眼神呆滯，張伯母十分著急，忙問：『哪裏不舒服？』

張靈指指心：『我這兒不舒服。』從此，張靈得了嚴重的相思病。

日子一天一天過去，張靈口中不再提起崔瑩，心中卻時時刻刻忘不了崔瑩。他感情豐沛，心中鬱結無法排遣，只有寄情於繪畫之中，張靈的人物畫、山水畫都十分出色，其中每一筆每一畫都有他對崔瑩的刻骨銘心之愛。

唐伯虎、祝枝山、張靈三位不同凡響的才子，在人生上都遭遇不如意，也許這是老天的磨練，所有偉大的作品背後都有痛苦，痛苦帶來深度。他三人自覺懷才不遇，只好苦中作樂。他們曾經在冰天雪地，打扮成叫化子，唱著蓮花落，向路人行乞，沽酒買肉，躲到野廟中痛飲，大聲誇耀：『連李白也沒咱們這般痛快！』其實，他們看不開、丟不下，心中盛滿了眼淚。

當然，他們偶爾也有真正開心的時候，那就是有人仰慕他們的藝術才華之時。

有一回，三人結伴，前往酒樓買醉，喝得歪歪倒倒，這才發現，誰身上也沒帶錢，付不了帳。

祝枝山靈機一動，揮著手中的扇子，對唐伯虎說：『這一面有我寫的字，你在另一面畫點東西，請酒保拿到當舖裏去典當。』

唐伯虎順手畫了花鳥，簡簡單單，意趣不凡。

酒保取過扇子，正待出門，一位客人走過來，攔住酒保：『你不用去當舖了，假如這幅畫中有張靈的人物，我願意多出二十兩銀子買下。』

張靈欣然同意，在唐伯虎的花鳥旁邊，添畫了一位嬝嬝婷婷的美人兒，不用說，又是在畫崔瑩。

張靈的相思病，一害就是十年整，把張伯母給急壞了，只要提到相親、娶妻，張靈就發脾氣。無論介紹誰家小姐，張靈不是嫌人家『醜如無鹽』，就是批評對方『沒讀過書』，張伯母經常問唐伯虎：『我該如何找尋崔家小姐？』

唐伯虎確實也愛莫能助啊。

閱讀心得

【第980篇】

十美圖的殘酷真相。

張靈與崔瑩一見鍾情，崔瑩不告而別之後，張靈的相思病一發就是十年，張伯母憂心如焚，由於崔瑩是南方人氏，因此唐伯虎此番前來南方投到寧王宸濠門下，張伯母重重相託，希望能覓到崔家小姐。

唐伯虎在陽春書院四下閒逛，表面平靜無波，內心波濤洶湧，人海茫茫，他要到哪兒尋訪崔瑩；再說眼前危機四伏，萬一宸濠果真懷有異態，想要起兵造反，他被牽涉其中，那可是誅九族的死罪啊。

不可能吧，就憑宸濠那一點能耐，怎有膽量造反？唐伯虎一遍又一遍的安慰自己。不過，萬一宸濠自不量力，魯莽起兵又該如何？翻過來，想過去，唐伯虎終於決定，面對現實，找尋眞相。他第一件該做的事，就是找李自然、李日芳探聽消息。

一想到這二個寶貝，唐伯虎就一陣翻胃，好像一張口不小心活吞兩隻蒼蠅。唐伯虎雖然考場失利，平日往來的都是文徵明、張靈等清逸脫俗的人，對沒品沒格的庸俗之輩，素來懶得理會。

現在，爲了保命，他必須開始學習演戲。

唐伯虎用力調勻呼吸，擠出微笑，故作輕鬆的與李氏兄弟攀談：『我也注意到了，這陽春書院果然不凡。』

『噢，你也注意到了！』李自然咯咯笑道。

『此地具有天子之氣。』唐伯虎乾脆挑明了說。

李日芳推了唐伯虎一把：『有你的！』

唐伯虎更露骨的表示：『寧王怎不早作打算？』

李自然道：『怎麼沒有？』接著，他口無遮攔談起，宸濠是如何如何有計畫的收買宦官劉瑾……等等。李自然講得眉飛色舞，唐伯虎聽得毛骨悚然。但是，他還得故作高興狀，努力的誇讚寧王：『才華蓋世無雙，具有天子之相。』

回到房間，唐伯虎忍不住哭了起來，人生怎麼會這麼悲慘呢？他想到李白，想到唐朝時永王璘起兵，李白被召入幕，後來永王失敗了，本來該處死刑，幸虧遇到郭子儀搭救，流放於夜郎。唐伯虎一面背著自小熟悉的〈靜夜思〉：『床前明月光，疑是地上霜，舉頭望明月，低頭思故鄉。』想到故鄉蘇州，想到九娘與小寶貝桃笙，他的淚水汩汩而下……他不曉得該怎麼辦。

唐伯虎流了一夜的眼淚，第二天一大早，寧王宸濠派人把唐伯虎給找了去，對他說：『我久仰於唐先生的仕女圖，今日選了十位美女供先生畫圖。』

『不過，你得注意，』宸濠把笑容一收，正色以告：『你畫好之後，把每位佳人的名字、籍貫寫在一旁，不許弄錯。』

唐伯虎昨日聽李日芳提及，宸濠要送美女入京，供荒淫的正德皇帝享

用，他怎麼也沒想到，他得爲這件醜惡之事當幫兇。

在民間傳說之中，所謂『八美圖』，或者『十美圖』，描寫的是唐伯虎富貴多金，除了琴棋書畫之外，最爲注意美貌佳人，他向祝枝山、文徵明、周文賓三位解元誇下海口，一定要在三個月之內，覓得八位佳人先後完婚，一夫八婦，度一輩子甜甜蜜蜜。後來，果然覓得八位絕色，情情願願與他先後完婚。唐伯虎的尋芳獵艷、偎紅倚翠讓中國男人羨慕到了極點。

不過，傳說畢竟是傳說，以後我們會講傳說故事。眞實的唐伯虎面對十位美女，他只有一個念頭——痛哭流涕。這些美女年紀都很小，也不了解未來人生路程，只聽說要畫畫，個個嘻嘻哈哈，十分開心。唐伯虎久聞正德皇帝的胡鬧任性，白天擊毬走馬、放鷹逐兔，到了夜晚燈火通明，俳優登場，不分美醜，無論老少，遇到醉後的皇帝，個個都有機會。在唐伯虎看來，正德皇帝不是風流，而是十足的下流。

一連忙了一個月，終於完成了九幅圖畫。最後一位美女走了進來，嬝嬝娜娜，半低著頭，似乎萬分不情不願。

李日芳在一旁介紹道：『這一位美人叫崔瑩，字素瓊，擅長於詩。』

崔瑩，崔瑩不是張靈朝思暮想、夢牽魂縈的心上人嗎？怎麼會在這兒相見？再說，張靈崔瑩一別十年，崔瑩年齡已經不小，還會以美女入選嗎？

待崔瑩緩緩走近，那丰采、那氣度、那綽約的天然風韻，唐伯虎確定，她果然是張靈的夢中佳人。她臉上爲淚水浸潤過的皮膚，透出素淨的光澤，甚且哭腫了的眼睛，彷彿熟透的杏兒，唐伯虎心想，原來好看的女人，連哭起來都這麼迷人。

李日芳走了，崔瑩冷笑一聲，譏諷道：『好一個江南才子，原來不過是寧王的幫兇。』

唐伯虎連忙解釋道：『我也是被騙來陽春書院，同時，爲張靈尋訪小姐啊。』

『張靈！』崔瑩驚呼。這兩個字重重打入心坎，於是，她又嗚嗚咽咽，抽噎不止。

閱讀心得

【第981篇】

唐伯虎發瘋。

唐伯虎終於爲張靈找到了崔瑩，但是，天公作弄人，竟然是在幫宸濠畫『十美圖』之時遇見崔瑩。

崔瑩果然是璀璨晶瑩，與衆不同。唐伯虎號稱『江南第一風流才子』，這輩子見過多少美女，像崔瑩這般才貌雙全、風度高華的，倒還是第一回遇見，難怪張靈害了整整十年的相思病。

『噢，張靈！』崔瑩輕呼著，她激動得發狂，眼光直視，嘴唇一點血色也沒有，胸脯劇烈的起伏不定，整個人搖搖欲墜，唐伯虎想上去扶，卻又不敢，崔瑩身上透著不許侵犯的神色。

崔瑩清清冷冷，如冰如雪的風姿，讓唐伯虎打心眼裡尊敬與憐惜，他忽然興起一股強烈的、英雄救美的念頭：『我要救你出去，讓你與張靈相見。』

『不可能的。』崔瑩搖搖頭，婉然一笑，『不過，謝謝你的好意。』說著，崔瑩自袖中掏出一幅圖畫，原來是當年唐伯虎畫的『張靈行乞圖』。

崔瑩轉身坐了下來，拿起毛筆，在畫上題了一首小詩：『身陷囹圄心未休，欲往姑蘇不自由，此身縱然泉下去，也有芳魂到虎丘。』崔瑩的字，娟秀美麗，一如其人，唐伯虎一時之間鼻酸眼酸，更是心酸酸。

『解元公，趕快畫畫吧。』崔瑩神色肅穆，從容的坐在一旁。

唐伯虎把畫筆一摔，憤憤然道：『我怎麼畫得下去？』

『你若不畫，宸濠怎肯饒你？』崔瑩反倒過來勸唐伯虎：『你不畫，自有人畫，你救不了我，我希望你能逃出寧王府，告訴張靈，我是欲往姑蘇不自由。』

『崔小姐，我畫不下去！』唐伯虎痛苦的哭喊著，他的手索索發抖，他手軟得握不住筆，『我豈能爲宸濠奪我朋友之愛。』

儘管滿心酸楚，唐伯虎仍然必須完成這一幅畫，他每一次抬頭望崔瑩，他的心就在滴血，他不敢想像，張靈有多麼傷心。畫到一半，唐伯虎想到多日來累積的痛苦，他再也忍受不住，『叭』一下，他把畫筆給摔成二段，一腳踢翻了畫紙，他大聲的狂叫：『天呀，我畫不下去啦！』

李日芳走了進來，只見唐伯虎披頭散髮，滿地狼藉，又哭又笑，李日芳驚訝道：『你發瘋啦？』

『對，瘋了。』唐伯虎再也積壓不住，乾脆當個瘋子吧，瘋子至少可以不必再忍耐，瘋子可以對討厭到了極點的李日芳大吼，他老早就想對這班人扯破臉了。

唐伯虎想起當年，他與張靈赤身露體在孔廟前的泮池戲水為樂，多麼逍遙，真是『少年不識愁滋味』。現在，他自己被騙不說，宸濠還奪了張靈的心上人，唐伯虎好恨！他把上衣撕裂，又把下衣撕破，旁人嚇得退後

竊竊私語：『這麼一位體面斯文的才子，怎麼不顧羞恥，莫非眞是瘋了。』

唐伯虎乾脆瘋到底，拿起酒壺自頭頂澆下，然後開始破口大罵，且歌且舞，著實鬧了個夠。

宸濠聽說唐伯虎瘋了，趕過來一瞧究竟，他帶了美酒美食，又帶來一盆豬食。唐伯虎知道這是在試驗他。他深吸一口氣，發揮精湛的演技，一腳踢翻了美食，抓起豬食就開始大嚼，自小吃慣美食的他，胃中一陣陣噁心，不過唐伯虎仍然『津津有味』吃完了豬食。

宸濠眼睛不眨的望著唐伯虎，他不相信，他懷疑唐伯虎在作戲，於是下令『天天試試看』。

可憐的唐伯虎從此天天以瘋子的姿態，食豬食，打赤膊，過著豬狗一般的非人生活。

到了晚上，監視他的人睡覺去了，唐伯虎經常忍不住痛哭流涕，一向最愛漂亮的他，在鏡中望著自己狼狽的模樣，多少次想一死了之，可是桃笙、小桃笙不能沒有父親啊，唐伯虎只好第二天繼續作戲。

唐伯虎繼續當瘋子，可是，宸濠似乎也沒有放他走的意思。唐伯虎得想出一些新方法。

有一天，宸濠與宮女正在調笑，唐伯虎瘋瘋癲癲走過去，當場小便，把宮女嚇得捏著鼻子逃之夭夭。

又一回，唐伯虎把酒壺裏的酒倒光，以尿盛滿，一路追著李自然、李日芳，非要他們喝下去不可，他討厭死了這二個寶貝，還眞希望他們喝一口。

唐伯虎一路追，兩兄弟一路逃，唐伯虎口中不斷嚷嚷：『來來，長生不老神仙酒，兩位師兄乾一盃。』

這兩位『仙人』見了唐伯虎就怕。

又過了二天，宸濠新砌的白牆，竟然被唐伯虎題了一首詩：『碧桃花樹下，大腳黑婆娘，何時歸故里，和她笑一場。』

李自然因爲不肯喝神仙酒，被唐伯虎遠遠用神仙酒在空中揮灑，搞得李自然一身尿騷味，他實在受不了，跑去對宸濠說：『送唐伯虎回蘇州吧，這個瘋子留著麻煩。』

宸濠冷靜的望著李自然：『你確信他是眞瘋嗎？』

李自然點點頭。

閱讀心得

【第982篇】

沈九娘的怨嘆。

唐伯虎爲了逃離寧王宸濠的魔掌，裝瘋賣傻，又哭又鬧，把寧王府攪得雞犬不寧，終於，宸濠忍耐不住。

宸濠的第一個想法，那就是把唐伯虎給殺掉，以免唐伯虎萬一知道他有謀反的意圖。繼而一想，萬萬不可，唐伯虎大名鼎鼎，他的好朋友文徵明等人都曉得他來了陽春書院，如果不明不白的死去，有損寧王的威名。

最後，宸濠把李日芳找來，正色以告：『人家都說唐伯虎是才子、是賢士，依我之見，他不過是虛有其表的狂生，既然他想念碧桃樹下的黑婆娘，那就打發他回去吧，不過你一路護送到家，看清楚他究竟是眞瘋還是假瘋。』

唐伯虎聽說終於要被攆走了，好高興，但是表面不動聲色。一路上大雪紛飛，他爲了表現瘋子本色，不時赤身露體，精神抖擻的努力表演。

李日芳一路照料瘋子十分辛苦，回到蘇州時，已經是臘月裏，唐伯虎就是靠著思念九娘、思念小女兒桃笙這一股精神力量，他才能撐到家，如今到家了，他多麼想一把抱住母女二人，敘一敘離別的思念。

但是，他不可以；李日芳一旁虎視眈眈，睜大眼睛準備看唐伯虎的表現。

唐伯虎暗暗一咬牙，這場戲再難演，也非演下去不可，否則，一家大小的命都沒了。

九娘聽到敲門聲，興奮的趕了出來，因爲思念唐伯虎，她一天不曉得跑到門口探幾回，雖然每次落空，她總是安慰自己，唐伯虎在寧王府一定春風得意，只是，怎麼一去半年，連一封信都沒有捎回來。

『吱』的一聲，門一打開，九娘嚇壞了，唐伯虎蓬頭垢面，全身污穢，臭不可聞，像個監獄裏的囚犯，哪裏是那白淨斯文、英俊瀟灑的唐小生呢？

九娘心慌意亂，搖著唐伯虎的肩膀道：『你怎麼了？』

唐伯虎明知九娘著急，不能不狠著心道：『你是誰？我不認識你。』

『我、我、我是九娘啊。』九娘急得快要哭出來了。

李日芳一旁解釋道：『唐先生畫著美女圖，畫到一半，突然瘋了。』

『什麼，瘋了?!』九娘不相信，把桃笙抱了出來，吩咐桃笙：『快叫爹爹！』

小桃笙從來沒見過爹爹這個可怕的模樣，但是，畢竟父女情深，小桃笙依然親親熱熱的用小手抱著唐伯虎的臉道：『爹爹，抱抱。』

以前小桃笙每次一下『命令』，做爹爹的唐伯虎就把女兒摟在懷裏，又親又吻。口裏不斷叫著『小寶貝』。這一會兒，唐伯虎不得不裝出兇狠模樣，冷冷道：『這個小孩是誰？快抱走！』

小桃笙嚇得大哭，哭得又傷心又失望，胖胖的小手仍然不死心的拍著唐伯虎的手：『爹爹，抱抱！』

這一剎那，唐伯虎幾乎要崩潰了，他幾乎就要把小桃笙抱緊懷中，他大叫道：『快拿酒菜來！』小桃笙又是哭，唐伯虎的心一揪，不斷對自己說：『沈住氣，我非保護妻女不可。』

驚惶失措的九娘，胡亂之中草草端出菜飯，一盤青菜，一盤豆干，著實寒酸得很，所幸，尚有唐伯虎喜愛的一小壺酒。

唐伯虎把酒壺中的酒倒在地上，然後，拿起酒壺蓋子，對準酒壺撒了一泡尿，這種瘋狂的舉動，把九娘給嚇哭了。這還不打緊，唐伯虎自己喝了一口尿，又把尿遞給李日芳，大力推薦道：『神仙酒，好喝！』

李日芳怕死了神仙酒，站起來，敬謝不敏道：『謝了，你留著慢慢用，我明天再來看你。』李日芳落荒而逃。

李日芳走了，唐伯虎鬧夠了，四仰八叉躺在床上睡覺。

九娘抱著小桃笙，母女二人哭成一團。唐伯虎想上前安慰，想一一解釋，但是，他不敢。他知道，萬一解釋清楚，明天李日芳再來，九娘一定無法配合演戲。

第二天，李日芳來了，九娘抓著他問東問西，問不出唐伯虎何以變成這副模樣，李日芳被問煩了，又害怕再喝『神仙酒』，匆匆告辭，第三天再來。

如此一連十天下來，九娘病了，躺在床上高燒不退，小桃笙哭個不停，唐伯虎還是瘋瘋癲癲，抱著神仙酒不放，李日芳心想，唐伯虎當然是瘋了，於是提前離開了蘇州。

唐伯虎確定李日芳的船已開走，這才逐漸恢復正常，照料九娘。九娘忍不住嘴上埋怨：『你眞把人給嚇死了！』忍不住心裡埋怨：『這個夫君眞沒用，好容易有個出頭機會，怎麼又弄砸了。』

唐伯虎是一向自認『君子坦蕩蕩』，事無不可告人者的爽快作風，他終於學到，人生有些事情不能大嘴巴到處講，他有生之年，如果不小心洩露宸濠造反的事，他一家三口都會沒命，所以他不得不瞞住九娘。

望著九娘怨歎的神情，唐伯虎在心中說：『你永遠不會了解，我多麼愛你們母女！』

閱讀心得

【第983篇】

梅花夢媲美梁祝情史。

唐伯虎裝瘋奏效，終於騙得了寧王宸濠的相信，讓他回到了蘇州。爲了他的發瘋，九娘急得生了一場重病，唐伯虎難過在心裏，卻無法明言。甚且當唐伯虎『恢復正常』，他告訴自己，這一個天大秘密必須一輩子藏在心裏，否則會帶來殺身之禍。

唐伯虎一閉上眼睛，無論白天夜晚，腦中全是崔瑩的倩影，以及張靈急灼灼的眼神，他懊惱自己無法英雄救美，把崔瑩帶出魔掌，受人之託，忠人之事，他必須硬著頭皮，把崔瑩的實況告訴張靈。

才氣縱橫，卻是貧病交迫的張靈正臥病在床。唐伯虎走過去，坐到床邊，握著張靈的手，將崔瑩題的詩遞了過去。

張靈掙扎的坐了起來，一字一句唸著：『身陷囹圄心未休，欲往姑蘇不自由，此身縱然泉下去，也有芳魂到虎丘。』

張靈的手瑟瑟發抖，他著急的問：『你見著崔瑩了？』

『是的，她正被寧王宸濠準備送入宮中。』

『伺候那個無賴的正德皇帝嗎？』張靈追問。

唐伯虎痛苦的、用力的點點頭，他安慰張靈道：『她沒有忘記你，只是無可奈何。』

張靈腦中轟然一聲，昏厥過去，原本虛弱的他，折騰了半天才勉強睜開眼睛。他費力的問唐伯虎：『崔瑩美嗎？』

『比你形容的還要美，艷絕人寰，才貌雙全。』唐伯虎由衷的讚美著。

張靈苦笑道：『我沒有說錯、誇大吧？』

唐伯虎長嘆：『好可惜，原是一對璧人啊。』

張靈大哭起來：『告訴我，老天爺爲甚麼這般殘忍？』十年來張靈一直鬱鬱不得志，如今，最後的一絲希望也被斬斷了，他對人生感到萬分疲倦，他想要永遠躺下來了。

當天晚上，由於氣惱、傷心、憤懣，張靈陷入昏迷，囈語不絕，拖了不到一個月，張靈揮手道別人間。

唐伯虎難過極了，他也十分後悔，假如，他沒有告訴張靈眞相，讓張靈永遠心中懷著一個希望，也許張靈還活在世上。轉念一想，或許冥冥之中，上天就是安排他的南昌之行，讓他爲崔瑩帶個口信，他覺得惘然，不曉得自己做得對不對。

唐伯虎含著眼淚，將張靈葬在蘇州郊外。

五年之後，宸濠終於作亂，被王陽明活捉之後問斬。由於十美乃是叛王行獻，因此被發還原籍。

崔瑩滿懷希望，帶著一名老僕人，與匆匆的趕到了蘇州，找到了唐伯虎。

唐伯虎驚訝得說不出話來，他內心湧現無比的悔恨，假如當初他沒有告訴張靈，關於崔瑩被選入宮的消息，該有多好。他囁嚅道：『張靈看到你的詩，傷心過度，不久便死了。』

崔瑩頃刻之間，從天堂跌到了地獄，她心裏空蕩蕩的，失魂落魄隨唐伯虎來到墳前，放聲大哭，哭自己的委屈，哭見不到張靈的不甘心，她一聲一聲的：『張靈，我來了！』聽得唐伯虎心碎，唐伯虎實在受不了，一個人走遠了。

待唐伯虎回到墓前，發現崔瑩已經上吊在墓前的大樹上。

『天啊！我不該走開的！』唐伯虎悔恨極了。他把崔瑩與張靈合葬在一起，並且在墓碑上題著『明才子張靈與崔瑩之墓』。

第二年，唐伯虎掃墓時，忽然發現張靈笑盈盈挽著崔瑩走過來，他二人深深一作揖，拜謝唐伯虎合葬之恩。萬株梅花叢中，似乎有人朗誦：

『花滿山中高士臥，月明林下美人來。』

這就是膾炙人口的『梅花夢』的故事。

有人把梅花夢的故事，媲美梁祝情史。

『梁山伯與祝英台』不只是民間傳說，確實在《寧波府志》中有記載。所謂府志，指的是記載地方沿革、古蹟、險要、人物、物產、風俗習慣的書。

祝英台是東晉時，浙江上虞一位好學女子，喬扮男裝去讀書，與梁山伯半途相遇，同去求學。三年朝夕筆墨相處，梁山伯從未懷疑斯文秀雅的祝英台是女兒身。

其後，祝英台返家，梁山伯訪祝英台時，方才發現原是美嬌娘，雙方情投意合，相知相愛，奈何祝父已將她許配馬氏。

梁山伯遭此打擊，一病不起。祝英台花轎經過梁山伯的墓前，突然起了大風，祝英台前往墓前祭拜，悲痛不能自已，突然之間，墳墓裂開，英台迅速投入墓中。馬氏把這件怪事上報朝廷，丞相謝安奏封祝英台爲義婦塚，並且爲之立廟，因此寧波有一句俗諺：『若要夫妻同到老，梁山伯的墳繞一繞。』

祝英台與崔瑩俱爲美麗的才女，唐伯虎思前想後，不覺又淚如雨下，大嘆造化弄人。

閱讀心得

【第984篇】

六如居士唐伯虎。

唐伯虎自南昌歸來五年之後，宸濠果然起兵作亂，後來被王陽明救平，朝廷捕捉亂黨，幸虧唐伯虎及早脫身，否則後果眞是不堪設想。

關於這一段『裝瘋佯狂』的經過，九娘不知道，唐伯虎的好朋友文徵明等人也不知道，他一個字也不敢多透露，所寫的詩文之中更從未提及，唐伯虎儘管是個率性的人，他明白，萬一大嘴巴，很可能遭來全家殺身之禍。

但是『露醜』（史書上用『露醜』——赤身露體，不顧顏面，打人罵人）的殘酷經驗，到底仍在唐伯虎身上，留下了不可磨滅的傷痕，時時刻刻刺痛他的身心。

有一天，唐伯虎覺得無聊無趣復無奈，偶爾抽出一本《金剛經》，看到上面一句話：『一切有爲法，如夢幻泡影，如露亦如電，應作如是觀。』他突然之間有遭到電擊的震撼，可不是嗎？人生的一切如夢如影，如朝露亦如閃電，一切是這麼的平常。於是，唐伯虎爲自己取了一個號——六如居士。

所謂『六如』——六如乃佛家用語，又叫六喻，用以比喻世間諸法的空幻無常。所謂居士，指的是在家信佛的人。

從此，唐伯虎早晚拜佛，並且勤讀《金剛經》，他對金剛經譯者鳩摩羅什也十分感興趣，並且發現了一段故事：

鳩摩羅什是天竺人（天竺乃古印度名）。他的祖父達多為天竺宰相，深受國人的信賴。

達多年紀大了，他有意把宰相的職位傳給兒子鳩摩羅炎。

鳩摩羅炎正值二十七歲英年，有學問，有朝氣。但是，他對宰相沒有興趣，一再推辭：『兒子沒有任何行政經驗，實在難以承擔如此重責大任。』

達多笑一笑：『別擔心，我在旁邊協助你啊。』

鳩摩羅炎一心想出家，當天晚上痛下決心，剃光頭髮，離家出走，前往東邊的龜茲國。

龜茲國王白純熱烈的歡迎鳩摩羅炎，國王的妹妹，漂亮的耆婆公主更熱烈的接待鳩摩羅炎，並且當下愛上了這位青年。

國王白純開心極了，他問鳩摩羅炎：『你娶過妻子嗎？』

『沒有。』鳩摩羅炎摸摸自己的光腦袋。白純一下子站了起來，用力的搖撼著鳩摩羅炎的手道：『我把妹妹嫁給你了。』

鳩摩羅炎哭笑不得，無處可再逃，心不甘情不願娶了耆婆公主。幸虧公主多情美麗，溫柔善良，二人婚後倒是非常平靜快樂。沒多久，耆婆懷孕了，奇怪的是，懷孕五個月之後，她突然能說流利的天竺語言，並且能夠了解佛教教義。

有一位高僧跑過來，對鳩摩羅炎說：『夫人一定懷了大智大慧的兒子，當年釋迦牟尼佛的大弟子舍利佛的母親，也是在懷孕之時，智慧大增，舍利佛出生之後，母親又恢復原樣。』

果然，耆婆生下鳩摩羅什之後，一句天竺語言也聽不懂了。鳩摩羅什是個天才兒童，很快的學會語言，五年後，耆婆生下第二個兒子弗沙提婆。

產後不久，耆婆赴郊外踏青，玩得極開心，突然見到一些骨頭，她問侍女：『這是甚麼？』

『這是人的骨頭啊。』侍女老實回答。

耆婆當下一楞，體會到人生無常，回到家後，冷冷的對鳩摩羅炎道：『我要出家。』

『出家？』鳩摩羅炎十分生氣，他心想，當年我要出家，你非嫁給我不可，這一會兒你竟然自己要出家。鳩摩羅炎怒氣沖天：『那麼，這兩個兒子怎麼辦？』

耆婆不說話，默默躺在床上，不開口，不說話，不進食，不喝水。到了最後，奄奄一息，逼得鳩摩羅炎乖乖讓步，萬般無奈道：『我答應了，你先喝了這杯水好嗎？』

聽到鳩摩羅炎鬆口了，耆婆精神一振，跳下床來，大聲的說：『先剃髮再喝水。』

鳩摩羅炎完全投降，立刻請人爲妻子剃光髮絲，頭髮剃完了，耆婆又說：『我撫養羅什，你教育弗沙提婆。』這時，鳩摩羅什才七歲，隨著母親出家。

鳩摩羅什自此出家，從師受經，修習大乘佛法。在晉安帝元興四年到達長安，後秦姚興奉爲國師，翻譯了《金剛經》、《妙法蓮花經》、《維摩詰經》等三百多卷佛經，他是中國佛經的播種者。

鳩摩羅什提倡的是大乘佛法，唐伯虎也欣賞大乘。而所謂大乘主要是有別於小乘，所謂小乘，是注重渡己的佛法，以求自我解脫爲目的，大乘則是要救濟大眾的佛法。

唐伯虎很喜歡中國人所說的『不俗即仙骨，多情乃佛心』。以唐伯虎的多情，本來就具備了學佛的條件，但是，學佛最困難的，是把心中的思慮、情緒、妄想停住，唐伯虎做不到，他的心始終住在煩惱裡，他忘不掉科場恥辱，忘不掉裝瘋的恥辱，他無法超脫。

閱讀心得

【第985篇】唐伯虎貧病交迫。

唐伯虎雖然一心向佛，一顆心卻始終停留在科場弊案之中，終生揮之不去，成爲他最大的夢魘。

有一天晚上，他又夢到了參加科舉考試，嚇得一身冷汗，醒來之後，翻來覆去，再也睡不著覺，乾脆披衣坐了起來，得詩一首，所謂是：『二十餘年別帝鄉，夜來忽夢下科場……』

九娘走了過來，看著詩，眼淚不斷不斷往下流，她懇切的請求唐伯虎：『事情都過去二十多年了，別去想了，可以嗎？爲甚麼要這般折磨自己？你天天唸心經，心經中說，心無罣礙，你心中何以永遠掛著這件事？』

唐伯虎苦笑道：『你不了解，哪一個讀書人十載寒窗，爲的不是中科舉？假如我唐某人平平庸庸我也就認了，我明明有才有學，我不甘心啊。』說著，唐伯虎痛苦的抱著腦袋，眼角滲出了淚水。

『不甘心又能如何？』九娘不知從何安慰唐伯虎的失意。

當然，批評唐伯虎羨慕榮華富貴也是不公平的，中國古代的讀書人若是沒考中科舉，景況本來就是悲慘的。唐伯虎除了心理的挫折之外，現實的窘迫也逼得他要發瘋。

初春的一場大雨把蘇州淹成了水鄉澤國，家裡一點錢也沒有了，他帶著幾幅圖畫到街上去找買主，轉了半天徒勞往返，他覺得十分難堪。賣魚生怕到城門，何況一位藝術家到處兜售，唐伯虎心中一酸，回家去了。

九娘向隔壁借了一點米，勉強熬了一鍋稀飯，一家人悽悽慘慘胡亂吃了晚飯。第二天，唐伯虎又帶著幾幅得意的畫出門，同樣的，又意興闌珊回到家中。九娘對著鍋子發呆，唐伯虎問九娘：『天快黑了，你怎麼還不洗米做飯？』口氣頗爲不悅。

九娘也沒好氣的回答：『若是家裡還有米，我甚麼時候讓你等了？』

這句話傷了唐伯虎的心，他手一鬆，畫掉了下來，九娘不忍，把畫拾起，攤開來，是一幅清秀的墨竹，雅致極了。九娘輕嘆：『這麼好的竹子竟然沒有人要。』

唐伯虎不說話，默默的走到書桌前面，提筆寫了一首詩：『荒村風雨雜雞鳴，轑釜朝廚愧老妻，謀寫一株新竹賣，市中笋價賤如泥。』

唐伯虎的竹子價錢賤如泥，同樣的，他兩位好友的景況也不妙，長於史學的祝枝山，竟然落魄到每次外出，總有討債的跟在後面追打的窘境。

這段期間最能給他帶來安慰的只有王寵，王寵比唐伯虎小二十四歲，他也是明朝著名的書法家，兩人十分投緣。王寵同樣是仕途失利，不過家境原本不壞，所以時時還能帶些錢，買些酒，過來與唐伯虎聊聊天。

王寵一直相當崇拜唐伯虎，每次都由衷的讚佩：『古來官場多少人都藉藉無名，唯有詩文及藝術作品才是眞正名山事業，你的書法，你的繪畫一定能永垂不朽的。』

『謝謝你的安慰，謝謝你如此看重，我現在窮困潦倒，最擔心的是小女桃笙，總希望她日後能許配到一個好人家。假如你不嫌棄，希望她能嫁到你府上。』

『這是我們王家的榮幸。』王寵一口答應。

既然唐伯虎與王寵結爲親家，王寵更三不五時周濟唐伯虎。王寵雖然改善了唐伯虎的環境，卻始終改變不了唐伯虎抑鬱的心境，當然也沒法幫助唐伯虎的健康，畢竟身心是一體的。

唐伯虎另一位老朋友王鏊十分想念他，力邀唐伯虎前往東山一遊。王鏊已經七十三歲了，健步如飛，笑聲爽朗，唐伯虎卻腳下無力，長吁短嘆。王鏊努力講笑話，費勁逗唐伯虎開心，唐伯虎始終眉頭打結，一臉苦笑，王鏊靈機一動：『我這兒有一幅蘇東坡的眞蹟，你瞧瞧。』

唐伯虎是書法名家，見到好字，望著出神，當他唸到：『百年強半，來日苦無多……』之時，想到自己年過半百，身體不行，恐怕也來日無多，臉色一變，頹然坐了下來。

王鏊安慰唐伯虎：『你別這樣，蘇東坡這首〈滿庭芳〉是在黃州時寫的，他後來又做到禮部尚書。』

『我永遠不會有這麼一天的。』唐伯虎冷冷道。

王鏊沒法子，唐伯虎如此多愁善感，身子怎會強健？王鏊派人把唐伯虎送回家去。

回到家中，唐伯虎就病倒了。明世宗嘉靖二年十二月初二，唐伯虎寫下絕筆詩：『生在陽間有散場，死歸地府也何妨，陽間地府俱相似，只當飄流在異鄉。』帶著滿腔悲鬱，一代才子離開人間，死時不過五十四歲，死得好慘。這就是眞實的唐伯虎的故事，和傳說中大不相同的唐伯虎。

閱讀心得

【第986篇】

唐伯虎並未點秋香。

眞實的唐伯虎究竟如何，我們已經詳詳細細的介紹過了。許多讀者不免納悶，唐伯虎最爲膾炙人口的『三笑姻緣』、『唐伯虎點秋香』怎麼到現在還沒有敘述呢？

很讓人掃興的，這一段千古風流美談，完全是子虛烏有的故事。根據傳說，秋香乃是華太師府中俏麗的小丫頭，回眸一笑，把唐伯虎的魂給勾住了，因而發展出一段美麗的情史。

事實上，華太師這個人是有的，他名叫華察，當他中進士之時，唐伯虎已經去世三年，當華太師被稱爲太師之時，唐伯虎墓已成拱。這兩個人既然扯不到一起，唐伯虎自不可能賣身爲奴混入華府，親近意中美人秋香姑娘。

最早記載這一段故事的，該是明朝嘉靖年間的項元汴，他在《蕉窗雜錄》之中，簡單的記載了唐伯虎在畫舫之中，偶見一『姣好姿媚』的女子，一路尾隨，化身爲傭，最後得到秋香的故事。顯然，唐伯虎去世之後五、六十年間，民間就普遍流傳『三笑姻緣』。

以唐伯虎這麼一位才氣縱橫、風流倜儻的藝術家，卻不幸有如此坎坷悲慘的人生遭遇，許多人都心生同情，因此爲他製造許多艷福，唐伯虎假

風月無邊

如死後有知，也當含笑九泉吧。

當然，年少的唐伯虎，的確也是率性不羈，人們才會以他爲主人翁，編織許多浪漫動人的情節。

青少年時代的唐伯虎，時時流連於妓女院中，蘇州妓女艷冠群芳，名噪一時，除了容貌秀麗、軟語柔情之外，她們的文化素養不凡，讓唐伯虎頗有面對知己之享受。

其中一位名妓湘英，與唐伯虎二人十分投緣。

一日，湘英談及十分仰慕唐伯虎的才情與書法，希望他能爲她題個字，唐伯虎毫不考慮的就答應了，當場揮筆，寫下『風月無邊』四個字。名家手筆，畢竟不凡，湘英十分得意，把它懸掛起來，許多朋友也嘖嘖稱讚。

有一天，祝枝山看見了，笑得前仰後合，止都止不住的大笑不已。

湘英不解，祝枝山又笑了半天，方才忍住，他對湘英說：『趕快拿下來吧，他是在開玩笑罵人啊。』

『罵甚麼？』湘英一頭霧水。

『你看，風去掉「几」，不成了虫，月去掉了「⺆」，不成了二，不是成了虫二嗎？』

原來，虫二是當時的流行用語，意思是形容低賤。

湘英也不生氣，她嘆一口氣道：『真聰明。』

因此，『風月無邊』仍然被湘英當作寶貝，安安穩穩的掛在牆上。

唐伯虎腦筋靈活，一向不願意墨守成規，有位商人來找唐伯虎對他說：『人人都寫些甚麼招財進寶，或是利似春潮帶水來，我希望與眾不同，來一點特別的。』

唐伯虎不假思索一揮而就：

『門前顧客，好似夏月蚊蟲，隊進隊出。

櫃裡銅錢，要似冬天虱子，越捉越多。』

商人一見大喜，而且，自此以後，他夏天被蚊蟲咬，冬天被虱子叮，依然樂得笑呵呵，覺得唐伯虎不愧為唐伯虎，確實有一套。

唐伯虎是一絕，他的朋友祝枝山也是一絕，互相鬥智，互不相讓。

某日，祝枝山看到一個農夫，非常吃力的在用水車車水，當下出了一個上對：『水車車水，水隨車，車停水止。』

唐伯虎一面搖著扇子，一面脫口而出：『風扇扇風，風出扇，扇動風生。』

祝枝山也忍不住拍手道：『接得妙。』

唐伯虎的朋友張靈，曾經扮演乞兒。唐伯虎也玩過這個遊戲。有一回，他做叫化子打扮，來到山上，看到幾個文人飲酒賦詩，也跑上前去湊個熱鬧。

這幾個文人，自命不凡，撇撇嘴道：『你來幹甚麼？』

『我來作詩。』

『你會作詩？』『好笑！』『這個乞丐讀過詩嗎？』眾人七嘴八舌。

唐伯虎拿著筆就寫了一個『一』字。

文人大笑：『寫一個「一」字，就能寫詩了？』

唐伯虎又寫了一個『上』字，眾人哄堂大笑，捉弄他道：『還認識幾個字？』

唐伯虎在『一上』下面，又寫了『一上』二字，眾人笑得更樂了。

其中一人打趣道：『你把詩寫完，我們送你酒喝。』

『眞的？』唐伯虎詢問。

又一文人笑道：『可不能只寫幾個筆畫簡單的大字喔。』

唐伯虎拿起筆來，立成一絕：『一上一上又一上，一上一上直到高山上。

舉頭紅日白雲低，四海五湖皆一空。』

唐伯虎把登山的景象，刻畫得如此鮮活，眾人大驚，唐伯虎這才表明身分。

唐伯虎是這麼風趣可愛，難怪中國人打心眼裡喜愛他。

閱讀心得

歷代•西元對照表

朝代	起迄時間
五帝	西元前2698年～西元前2184年
夏	西元前2183年～西元前1752年
商	西元前1751年～西元前1123年
西周	西元前1122年～西元前 771年
春秋戰國(東周)	西元前 770年～西元前 222年
秦	西元前 221年～西元前 207年
西漢	西元前 206年～西元 8年
新	西元 9年～西元 24年
東漢	西元 25年～西元 219年
魏(三國)	西元 220年～西元 264元
晉	西元 265年～西元 419年
南北朝	西元 420年～西元 588年
隋	西元 589年～西元 617年
唐	西元 618年～西元 906年
五代	西元 907年～西元 959年
北宋	西元 960年～西元 1126年
南宋	西元 1127年～西元 1276年
元	西元 1277年～西元 1367年
明	西元 1368年～西元 1643年
清	西元 1644年～西元 1911年
中華民國	西元 1912年

國家圖書館出版品預行編目資料

全新吳姐姐講歷史故事. 46. 明代/吳涵碧 著.
--初版.--臺北市；皇冠，1999〔民88〕
面；公分（皇冠叢書；第2943種）
ISBN 978-957-33-1643-5（平裝）
1. 中國歷史

610.9　　　　88007060

皇冠叢書第2943種
第四十六集【明代】
全新吳姐姐講歷史故事〔注音本〕
作　者—吳涵碧
繪　圖—劉建志
發 行 人—平雲
出版發行—皇冠文化出版有限公司
台北市敦化北路120巷50號
電話◎02-27168888
郵撥帳號◎15261516號
皇冠出版社(香港)有限公司
香港銅鑼灣道180號百樂商業中心
19字樓1903室
電話◎2529-1778　傳真◎2527-0904
印　務—林佳燕
校　對—鮑秀珍・第一編輯室
著作完成日期—1998年12月
香港發行日期—1999年07月09日
初版一刷日期—1995年07月15日
初版二十七刷日期—2021年05月
法律顧問—王惠光律師

讀者服務傳真專線◎02-27150507
電腦編號◎350046
ISBN◎978-957-33-1643-5
Printed in Taiwan
本書定價◎新台幣150元/港幣45元